Juliusz Strachota

Zakłady Nowego Człowieka

Lampa i Iskra Boża
Warszawa 2010

projekt okładki: Malwina Konopacka
korekta: Łukasz Knap

wydanie I

ISBN 978-83-89603-80-2

Wydawca:
Lampa i Iskra Boża
Paweł Dunin-Wąsowicz
adres do korespondencji:
01-756 Warszawa,
ul. Przasnyska 18 m 20
biuro:
Galeria Raster, ul. Hoża 42 m 8,
00-516 Warszawa
tel. (22) 6221009
www.lampa.art.pl

Druk: Efekt s.j.
ul. Lubelska 30/32, Warszawa

Opis instalacji w strefie zamkniętej, jak również
innych założeń inżynieryjnych i urbanistycznych
zaczerpnięty został z zasobów z Wikipedii.

Autor oraz wydawca zdają sobie sprawę, że serial
Dempsey i Makepeace na tropie w polskiej telewizji
pojawił się dopiero w roku 1988, ale z racji artystycznych
emisja została przeniesiona kilka lat wstecz.

Rozdział 1 – Praskie tajemnice

Kiedy lekko się zdenerwuję, potrafię przelecieć jakieś dziesięć metrów. Bez problemu przefruwam nad kioskiem z gazetami albo nawet nad autobusem. Kiedy mnie porządnie szlag trafia, ląduję naprawdę daleko. No na przykład, kiedy ojciec zabronił mi wychodzić na dwór, znalazł mnie na tarasie widokowym Pałacu Kultury. Nie ukrywam, że to całe moje latanie od razu spodobało się dziewczynom. Moja matka na przykład zaczęła wtedy zbierać archiwalne zeszyty Supermana, a potem kupiła mi nawet okulary od Clarka Kenta, ale zgubiłem je, jak leciałem do Płocka.

To znaczy tak było kiedyś, bo dosyć szybko zacząłem szukać pomocy. Seria terapii indywidualnych, jedna grupowa, gdzie były nawet fajne dupy i pewna ilość farmaceutyków, pomogły na tyle, że po dwóch latach nie miałem już tych panicznych odlotów na sto kilometrów. No bo po takich napadach zawsze byłem zgłaszany jako zaginiony, w powietrzu się przeziębiałem, a przez to, że się nie myłem przez klika dni prób powrotu, dostawałem takiego trądziku, że mi żadna kosmetyczka nie chciała pomóc. Takie grudki, głęboko pod skórą, że się wszystkie bały połamać paznokcie. Dziewczyny od razu to zauważyły i zrobiło się naprawdę słabo. W ogóle miałem z nimi kłopot, jakoś tak na dłuższą metę trudno mi było z nimi wytrzymać. Po pewnym czasie moje lekkie odloty też zupełnie odpłynęły i wkrótce o nich zapomniałem. Znów byłem zupełnie zwyczajnym okularnikiem, który raczej do niczego się nie nadaje.

No bo przecież całe to moje latanie było bardzo stresujące, wszystko się samo napędzało i fruwałem coraz dalej i dalej. Nieraz kiedy się uspokoiłem, musiałem się porządnie wkurwić, żeby nie tkwić po środku jakiegoś parku krajobrazowego pod Białymstokiem. A co może zdenerwować w lesie, gdzie nie ma ani jednego niedźwiedzia, wilka, zboczeńca, żubra, myśliwego, mojej dziewczyny, mojego starego i tylko w oddali widać coś na kształt wieżyczki dla myśliwego. W takich momentach najbardziej odczuwałem brak mojej matki, której sam głos doprowadzał mnie do szału. Zwłaszcza jak czytała mi Punishera przed snem. Chciała żyć pełnią życia matki cudownego dziecka. Zapraszała koleżanki na kawkę i godzinami pokazywała im zdjęcia z moich lotów nad kurnikiem pradziadka albo lądowanie na kominie Huty Warszawa. Tego, jak mnie ściąga straż pożarna, już nie sfotografowała.

Wszystko to zaczęło się, jak miałem jakieś trzynaście lat, choć lekarze mówią, że dużo wcześniej, że to się wynosi z dzieciństwa, ale trzynaście lat to chyba dzieciństwo przecież.

Przez dwa lata byłem nieco wyłączony z życia i dwa razy nie zdałem, ogólnie olałem wszystko, bo myślałem, że te takie przyziemne rzeczy kompletnie nie mają znaczenia. Cały ten sztab specjalistów, wręcz tajna komórka do moich spraw ustawiła mnie jednak do pionu. Miałem taki luz, że w sumie wróciłem do czytania książek. Uwierzycie, że przez dwa tygodnie przeczytałem całą *Komedię Ludzką* Balzaka? Potem w ciągu pół roku poznałem prawie całą literaturę rosyjską. Zabrałem się więc za Tomasza Manna i zanim się obejrzałem, byłem prawdziwym okularnikiem. Te wszystkie psychoterapie pokazały mi, co w życiu jest naprawdę ważne, a dzięki *Czarodziejskiej Górze* zacząłem palić. Oczywiście wszyscy ci lekarze do dziś się procesują, kto ma większe prawa do robienia ze mnie habilitacji. Ciężko im to idzie, bo oficjalnie ja wcale nie latam. Nie ma mnie. A palenie sprawia, że czasem mało płuc nie wypluję.

Następne 15 lat we względnej zrozumiałej dla wszystkich równowadze toczyło się zupełnie zwyczajnym rytmem, może poza tym, że usilnie nadrabiałem stracone lata i chciałem nieco za bardzo udowodnić sobie, że naprawdę mam coś światu do zaoferowania. Po skończonym liceum z moją dziewczyną Moniką i kumplem Mironem poszliśmy na antropologię kultury, a rok później dostałem się jeszcze do szkoły filmowej w Łodzi. Było super. Chciałem zostać fotografem. Ojciec mnie w tym bardzo popierał, bo sam czuł się artystą w swoim fachu. Był psychologiem i przynajmniej syna chciał mieć normalnego. O to w domu wybuchały codziennie kłótnie, aż wreszcie moi rodzice z wielką pompą udali się rozwodzić. Oczywiście wcale im się to nie udało i tak siedzą sobie razem do dziś i nie wracają do tematu.

Zanim zdążyli mnie przy tym zabić, spakowałem się i z Saskiej Kępy wyruszyłem w podróż do akademika na Kickiego, gdzie zamieszkałem w pokoju Moniki, a potem jeszcze dalej i na pewien czas osiadłem na Żoliborzu. To były piękne lata picia piwa, nauki rzeczy niesamowitych, bycia studentem, marzeń, randek, bólów serca, powrotów, randek, picia piwa, chodzenia do kina Iluzjon, robienia zdjęć miasta o świcie, czytania książek, randek, marzeń, picia piwa, marzeń, pracy też wakacyjnej, wyjazdów pod namioty, picia piwa, marzeń, marzeń…

Do dziś. Mam równo trzydzieści jeden lat. Pracuję jako tester oprogramowania. Programiści robią jakiś program, a ja potem sprawdzam, czy on działa i jak on już prawie działa, wtedy sprzedaje się go jakiejś głupiej firmie typu Telekomunikacja.

Jestem zupełnie zwyczajny. No po prostu objawy nerwicy wyglądają różnie, pojawiają się w najsłabszych punktach twojego ciała. Czasem wyglądają jak brak objawów, a ja dostawałem skrzydeł. Jestem dość wychudzony, a jak odlatywałem, to od razu spadały mi okulary. Fakt, teraz noszę soczewki. A poza tym jestem już zdrowy.

No bo przecież na przykład objawy lęku mogą być zbliżone nawet do schizofrenii. A chcielibyście zostać schizofrenikiem? Mój kolega ze studiów bardzo chciał, pamiętam, chociaż jakąś małą depresję, błagał mnie, żebym mu cos doradził, bo on był taki wrażliwy i czytał poezję Wojaczka, aż w końcu w zeszłym roku powiesił się w piwnicy. Jego brat mówi, że nigdy nie widział, żeby ktoś zrobił to w sposób bardziej idiotyczny, ale nie wiem, o co mu chodziło.

Znam jednego hungarystę i schizofrenika w jednym. Około pięćdziesięcioletni Stefan z Saskiej Kępy. Jak przestaje brać leki, to zaczyna chodzić w kasku i pisze wiersze o Hitlerze. Opowiada o tym, że chce mu się strasznie ruchać, pisze nawet o tym w swoich listach do niemieckiej ambasady albo do tego projektanta Louisa Vuittona. W porównaniu z tym, moje zaburzenia to było naprawdę nic takiego.

No to teraz już wiecie, co się zaraz wydarzy.

Przewodniczka gadała coś do takiego pudełka, które miała przy pasku i wyglądało, jakby mówiła brzuchem trochę. Cała była jak robot. Miała okulary od DG, i w ogóle wszystko sztuczne i nieprawdziwe. Kiedy trajkotała mechanicznie coś o Husytach, wtedy zadzwoniła do mnie Paulina, moja dziewczyna.

Žižkov to dzielnica Pragi leżąca na wschód od centrum. Jej nazwa pochodzi od nazwiska Jana Žižki, czeskiego bohatera narodowego. Dzielnica charakteryzuje się zwartą zabudową, na którą składają się przede wszystkim wysokie czynszowe kamienice z przełomu XIX i XX wieku. Ulice są wąskie i często pną się stromo pod górę.

– Cześć ptaszku. Jak się masz? Coś muszę ci powiedzieć, ja.

Władze komunistyczne, one w latach 70. zdecydowały o całkowitej przebudowie dzielnicy. W miejsce wyburzonych kamienic miały powstać bloki mieszkalne, a malownicze, wąskie uliczki miały być poszerzone. Całe szczęście planów nie zdołano zrealizować. W zamian za to, zdecydowaną większość kamienic udało się odnowić w ostatnich latach.

Natomiast mauzoleum przed nami, ono ma pod sobą schron przeciwatomowy, który sięga głęboko pod ziemię. Nieopodal, w lesie były do niedawna przedziwne konstrukcje radarowe, przypominające te, które można spotkać na Ukrainie i na innych terenach byłego ZSRR.

No moja była dziewczyna, ona jest dosyć nieduża, taka drobna i wiecznie roześmiana. Byliśmy ze sobą już dosyć długo i ona nagle powiedziała, że przestała mnie kochać, że się zabujała w chłopaku z jej studiów doktoranckich, że go nie znam. Acha, i w ogóle jak tam mój wyjazd? Wszystko w porządku? Pogoda fajna i ładna? Ja nie bardzo wiedząc, co powiedzieć, wydusiłem, że była ze mną turystycznie, potem zaraz zjechałem na autokar bez klimatyzacji, ale ona zdążyła nazwać mnie chamem i uczepić się tej całej turystki. Że niby nazwałem ją w ten sposób dziwką. No bo, tłumaczyła mi, pewne rzeczy są proste, się kocha kogoś a potem nie. Ja to rozumiem, ale ona tak mówiła, jakbym nie rozumiał i że dla mnie to za trudne. Wszystko to przez roaming nienajlepszy. Zaczęły po mnie przebiegać dreszcze. Poczułem drętwienie rąk i mrowienie na plecach. Minutę potem dosłownie dostałem skrzydeł i straciłem grunt pod nogami. Ona coś mówiła, ale ja już nie słyszałem, zresztą zaraz telefon wypadł mi na ziemię i potoczył się w stronę kratki odpływowej. Próbowałem go chwycić, ale już nie dostawałem do ziemi. Coraz mniej ludzi zwracało uwagę na to, że...

...po śmierci jego ciało, ono zostało zabalsamowane i wystawione na widok publiczny tu właśnie, w Narodowym Miejscu Pamięci, jednak pomimo wysiłków mumia, ona się psuła i w roku 1962 dokonano jej kremacji. W 1990 po aksamitnej rewolucji urnę z prochami umieszczono we wspólnym grobie dygnitarzy komunistycznych na cmentarzu w Olszanach.

Jak za dawnych lat, no, ale nie myśleć, nie skupiać się na tym. Tak powie wam lekarz. Nie obnosić się z objawami, nie szantażować nimi świata. Ja to rozumiem, ale ona tak mówiła, jakbym nie rozumiał i że dla mnie to za trudne. I są momenty, kiedy niby rozumiesz, a jednak wszystko rzeczywiście staje się za skomplikowane. Nie dostajesz rękami do ziemi. Nie możesz ustać na nogach, a świat staje na głowie. Po prostu odlatujesz.

Przewodniczka przestała pieprzyć, a cała wycieczka gapiła się na mnie, jak odbijałem się, to od mauzoleum za pomnikiem Jana Žižki, to zahaczałem o drzewa. Próbowałem chwytać się gałęzi, ale to były sosny i tylko kaleczyłem się o igły. Widziałem coraz więcej, po schodach wdrapywała się jakaś skośnooka grupa i robiła mi zdjęcia. Stare, odrapane japońskie rury. Canony. Nikony. Głównie.

Nie ma nic gorszego od turystów. Oni po prostu naturalnie się tylko gapią. Po to tu są. Po to są w zasadzie wszędzie. I nagle ja im wynagradzam trud wspinaczki na wzgórze. I jutro już będą o tym pisali w jakimś lokalnym brukowcu. O, w ich dzienniczkach podróży nastąpi złota karta. Piramidy, Rodos, Wiedeń, Złota Uliczka wysiadają.

Pilotka już pewnie zdążyła zadzwonić na policję i teraz napierdala do centrali biura, że normalnie jej człowiek odleciał. Ma wolne miejsce w autokarze. Czescy policjanci pędzą na sygnałach i wszystko pewnie wygląda jak na filmie o Bondzie. Niezwykłe zdarzenia w scenerii pięknego europejskiego miasta. Co robić?

Na dwudziestu metrach jest już naprawdę zimno, bo wieje, ale za to pięknie widać miasto. Wznosiłem się dosyć powoli. Najgorsze są jakieś inne obiekty latające. Nie, że UFO. Kiedyś tak mało nie zahaczyłem o startujący z Okęcia samolot. Musiał awaryjnie lądować, bo pilot uznał, że potrzebuje iść do lekarza. Albo motolotniarze. Ci są najgorsi. Raz tak na dwustu metrach gość wpadł w jakiś komin powietrzny, a ja, umówmy się, ja mam też słabą sterowność, no i mało go nie strąciłem. Przepraszałem go nawet w locie, ale jakoś nie miał odwagi w to wszystko uwierzyć. Zmarł na zawał, zanim się jeszcze rozbił. To mnie w zasadzie uratowało, bo cały ten stres pozwolił mi bezpiecznie wylądować.

Pojawiało się o mnie naprawdę dużo artykułów i to wcale nie jest dobre. Kilka prac magisterskich na Akademii Medycznej też, ale je utajnili. Wiecie, spisek taki. Potem całe szczęście wszystko przycichło, chociaż moja mama i tak miała trzy klasery pełne wycinków z „Superexpressu", bo chyba „Faktu" to jeszcze wtedy nie było.

Leciałem wzdłuż ściany pieprzonego mauzoleum i przy krawędzi dachu udało mi się złapać jakichś prętów i tak już zostałem. Kurczowo ich się trzymałem i czekałem, aż emocje opadną. Nie patrzyłem na dół, bo masa turystów by mnie wpieniła, a to by groziło poważnym przeziębieniem w okolicach balonów meteorologicznych. Oczywiście przede mną było coś znacznie gorszego.

Kiedy tylko emocje opadną, turyści sobie pójdą, zmrok zapadnie, ja jakimś cudem będę musiał wrócić na ziemię. A bez nerwów się nie da. Co może człowieka wkurwić na dachu mauzoleum odrodzenia narodowego? Nawet Gottwald już tam nie leży, bo podobno źle go jakoś zakonserwowali. Tyle przeczytałem w przewodniku. Żebym chociaż miał lęk wysokości. A mi praktycznie nic nie dolega. Ja jestem zupełnie zdrowy. Mimo że w sumie piję piwa dużo i palę, to wątrobę mam jak niemowlę.

Dopadała mnie ciężka noc. Taka sierpniowa, chociaż był czerwiec. Pod wieczór wstał zachód słońca i światło się zrobiło jak z tego Żyda Brunona Schulza. Naprawdę mógłby być koniec sierpnia.

Kiedy się ściemniło, trzeba było podjąć jakieś decyzje. Jakieś piętnaście stopni. Jakieś krótkie spodenki. Jakieś zdekompletowane japonki. Jakaś koszulka z napisem „Rats don't surf". Jakaś słaba sytuacja. Panorama Pragi jest naprawdę piękna. Można się zastanawiać na przykład, czy widać stąd miejsce, gdzie był ten cały pomnik Stalina, co się jeździ tam na deskorolce.

Zacząłem łazić tak prawie po omacku i zaraz trafiłem na drabinkę, która prowadziła na wyższy poziom. Wyżej i wyżej. Wyżej nie było nic, czego nie było niżej. Nie było ziemi, po której można było wrócić do domu.

Stałem sobie i patrzyłem na tego gościa na koniu, który był w zasadzie w podobnej sytuacji, co ja. Za daleko nie mógł się ruszyć.

W kieszeni miałem batona i gniotłem go sobie z nudów. Usiadłem tak po turecku i zamiast się porządnie wkurzać, zrobiło mi się po prostu smutno. Dziewczyna mnie rzuciła przez telefon, który na dodatek zaraz zgubiłem. Kochałem ją przecież bardzo, a ona specjalnie wysłała mnie samego do Pragi, żeby bezpiecznie móc mnie wyrzucić na śmietnik. To nie jest spiskowa teoria, one przecież właśnie tak robią. I pewnie gdybym się tak nie zdenerwował, zdążyłaby zrzucić na mnie całą winę za te męczarnie z takim nudziarzem jak ja. Poczucie winy to jest to, co każdy lubi. Lubi, jak je ma ktoś inny.

Ja się nie daję, wiem to już od czasów terapii. Wcześniej dawałem się wpędzać w nie moim rodzicom, mojej babci, dozorcy, kolegom z boiska, księdzu, kasjerce w samie i dosłownie każdemu, kogo spotkałem. Czemu Bóg nad tym nie panuje. Teraz mnie to wali.

Policja pojawiła się dopiero nad ranem. Długo im widać zajęło przesłuchiwanie świadków nagłego odlotu turysty z Warszawy. Mieli reflektory, za nimi czaiła się telewizja, moja pilotka i trzech kretynów z Białegostoku, którzy z wrażenia nie potrafili się dziś dopić w swoim pokoju. Jeden z nich był weteranem z Afganistanu, drugi radnym jakiejś dzielnicy, a trzeci wykładowcą literatury amerykańskiej. Ten to ma nerwicę. Jak mówi, to zamyka oczy i się cały trzęsie. Słowa „ładna dziś pogoda" dostarczają mu takich emocji, że od razu musi się napić.

A kiedy już nadleciał śmigłowiec, postanowiłem coś zrobić. Nim zdążyli okrążyć ten wielki betonowy kloc z koniem na przedzie, wstałem i pobiegłem wzdłuż jego krawędzi. Dokładnie, jak mi się zdawało, w stronę Polski. U podnóża budynku zobaczyłem jakieś dwa pomniki i skoczyłem. To było jakieś trzydzieści metrów, ale nerwy złagodziły upadek. Za mną słychać było głosy, a śmigłowiec też już powoli orientował się w sytuacji. Biegłem w dół wzgórza między szpalerem sosen. Nie świeciły się latarnie i w alejce nic nie było widać. Gwiazdy na niebie powoli bladły. Co jakiś czas podskakiwałem i przefruwałem po kilkanaście metrów. Wreszcie udało wzbić mi się ponad drzewa. Leciałem wyżej i wyżej. Powoli zaczęło wschodzić słońce.

Rozdział 2 – Mokotów, Saska Kępa

Moja matka nagle odżyła. Po latach depresji spowodowanej brakiem mojej nerwicy, nagle wstała z łóżka i była jak nowonarodzona.

No i zaczęło się. Istna lawina.

Najpierw syn doktor Kiełbińskiej, który podobno nie żyje od pięciu lat, on nagle stanął przed moimi nowymi drzwiami na Dolnym Mokotowie. Powiedział, że szanował mojego dziadka, zwłaszcza za Berlin i że w telewizji mówią o nim Kiełbasa. Sądził, że to on zatykał ten cały sztandar na czarno-białych zdjęciach. Nie wiem, czy kiedyś nie kochał się w mojej matce, kiedy jeszcze przesiadywali całe dnie w piaskownicy. Coś o nim czasem wspominała, żeby wkurzyć starego, mówiła, że potrafił pół dnia pilnować jej babek z piasku, a jak raz jakiś chłopiec rozwalił je niechcący, to wybił mu chyba siedem zębów.

Łyknąłem dwa xanaksy i go wpuściłem. Te tabletki pomagają zachować spokój. Niczego nie leczą, ale człowiek po nich nie dostaje objawów. Czasem, więc się ich nadużywa. Potem człowiek się uzależnia i łyka tak sobie, żeby łykać. W zasadzie nic się nie dzieje, a łyka. A jak nie łyka, to zaczyna się dziać.

Wyjął flaszkę i zaczął się śmiać z mojego telewizora. Mówię mu, że nie mój, bo wynajmuję to mieszkanie, to zaczął się śmiać z całego tego M2.

– No, to czego pan chce? – wziąłem jeszcze dwa xanaksy, bo naprawdę fakt, że mafia wie, gdzie jestem, wcale mnie nie cieszył.

– Gościu, mógłbyś mieć tony sosu. Z makaronem, kurwa. Na najlepsze, kurwa, torby. Przecież możesz lecieć tak nisko, że nawet nie będziesz ponad lasem. Nie wykryją cię radary ani nic. Możesz być królem. Nikt nie może się z tobą równać. Naprawdę się za wiele nie nalatasz. No zgódź się, pliz, pliz.

Chciało mi się śmiać, bo w sumie tak dawno nie brałem xanaksu, że zrobiło mi się miękko. Mówię mu, że bardziej bałem się wizyty mojej matki, która na przykład wczoraj przyniosła mi ciepłe kalesony, żebym się nie przeziębiał w locie. Mam tendencje do zapaleń pęcherza, a on na to, że adres ma właśnie od mojej matki. Że jeszcze komiks mu podarowała, bo mu brakowało drugiego numeru Spidermana z człowiekiem, co burzył mury, czy coś tam.

Pierwszy raz od bardzo dawna pomyślałem o samobójstwie. Jego samobójstwie.

Czułem, że przede mną siedzi człowiek legenda z Pruszkowa. Człowiek, który od iluś lat podobno nie żyje. Człowiek, którego matka zrobiła mojej babci takie zęby, że działają już z piętnaście lat. Człowiek, który zabił pewnie kilka sympatyczniejszych osób ode mnie. Człowiek, któremu mój adres dała moja matka, bo chodziła z nim do podstawówki. W tym momencie zadzwoniła Paulina, moja nagle była dziewczyna.

– Muszę trochę odpocząć – powiedziałem mu i odebrałem.

– Chcę zabrać moje graty, ja. – mówi.

– Nie mam gratów twoich, przeprowadziłem się na Mokotów, wyjebałem je na śmietnik po złości.

– Mojego laptopa też?

– To mój laptop, ale też go wyjebałem, bo już nie działał.

– Ty idioto – powiedziała to jeszcze kilka razy.

– Coś jeszcze?

– Słyszałam, czytałam znaczy, ja, że nieźle nabroiłeś. Podobno połowa policji w Pradze szukała latającego obiektu.

– Tak, ja nabroiłem. Wiem, to nie świat jest zły, to w mojej głowie jest to, że odlatuję, tak, wiem, tak, wiem.

– Dobrze, że masz ten program ochrony twojego szczególnego przypadku. Że naprawdę ani razu nie widziałam, jak ty to robisz. Czemu to takie tajne?

– Czy z tego powodu też mam czuć się winny? – zasłoniłem słuchawkę, a ona coś gadała pewnie.

– Moja była dziewczyna – szepnąłem do pana Kiełbasy. Druga dawka xanaksu wchodziła i czułem się naprawdę zabawnie. Chciałem wrócić do rozmowy, ale wyrwał mi słuchawkę i wyłączył telefon. Pośmiał się chwilę z mojej starej nokii, a potem zaczął dzwonić gdzieś i dopiero po chwili zrozumiałem, że zamawia trzy prostytutki. Poczułem się fajnie, ale zaraz dostałem sms-a od Pauliny, że chce się ze mną spotkać, bo to wszystko, co się stało, było naprawdę niepotrzebne. Że ona sobie nie radzi beze mnie. Że przecież wszystko mogła popsuć, ale nie pozwoli na to. Że mi też nie pozwoli tego popsuć. Że nam nie... Że światu nie...

Nie wiem, jak szybko mogła napisać tak długiego sms-a, ale pewnie miała go przygotowanego wcześniej. Ma taki zestaw szablonów na każdą okazję. Szantażowanie jest dosyć ograniczone i można je zamknąć w zestawie, myślę, dziesięciu wiadomości tekstowych. Mimo wspaniałego tyłka ma mocno chłopięcy pierwiastek. Potrafi pół dnia pisać sms-a i pytać, czy jest spontaniczny i naturalny.

Dopiero kiedy do drzwi zadzwonił mój terapeuta, przypomniałem sobie, że osiem godzin przed sesją nie wolno mi zażywać leków. Pożegnałem się z panem Kiełbińskim, który jakoś tak bez problemu się ulotnił, spojrzał tylko na mojego doktora Andrzeja i zbiegł po schodach.

– Kto to był? – poczuł brak kontroli i robił minę, która miała mówić, że coś kręcę za jego plecami, za plecami tych wszystkich ludzi, którzy chcą dla mnie dobrze i chcą mnie mieć tylko dla siebie.

– Znajomy matki z klasy. Wymuszenia, te całe automaty, jednorękie bandyty, no wie pan. Z kolei moja babcia leczy zęby u jego matki – machnął ręką, żebym przestał już mówić i przestałem.

– Wiesz, że możesz mieć ochronę. Jesteś zbyt cenny dla świata. Brałeś leki?

– Doktorze, jakby mnie pan nie próbował wkurwiać, ja na to nie polecę. Najwyżej zadzwonię do Akademii Medycznej, żeby pana zmienili. Przecież mi naprawdę nic nie dolega, to tylko moja dobra wola, to ja panu robię dobrze.

– Ale pan nie jest homoseksualistą, hę?

Wytarł buty o podłogę i wkroczył nieśmiało do pokoju, gdzie zostawił jakieś dziwne białe ślady. Jak zwykle odmówił herbaty, kawy i czegoś mocniejszego. Nie sądził chyba wciąż, że nie ma do czynienia z niczym niezwykłym. Był najzdolniejszym doktorem w instytucie. Dostał mnie w nagrodę, no, ale oczywiście chodzi niby o to, żebym ja miał dobrą opiekę. Żaden psychiczny takiej nie ma i tylko strasznie ich wszystkich boli, całą klinikę to boli, że naprawdę mało który z nich widział, jak ja naprawdę odlatuję. W „Fakcie" czytali. Jakieś zdjęcia niewyraźne z komórki, ale czy to ja naprawdę, to chyba nie są pewni, więc wkurzają mnie na wszelkie sposoby.

Dziś białe ślady na moim parkiecie.

Ostatnio niby przypadkiem wypalił mi dziurę w kanapie.

Wcześniej zwalił doniczki otwierając okno.

Tak naprawdę chcieliby wyhodować sobie sami coś takiego, ale nie pozostaje im nic innego, jak przepisywać mi xanax i venlectin.

A potem samym sobie. Ja mam zaburzenia emocjonalne od dziecka, a oni widzą we mnie nadczłowieka. To jakieś takie nawet przyjemnie hitlerowskie.

Pogadaliśmy sobie trochę o tym, jak mnie matka płaczem w poczucie winy wpędzała. O tym też, jak ojciec mnie przepędzał do dziadków, bo mu przeszkadzałem w pracy. O tym, jak u dziadków przed zaśnięciem słyszałem terkoczące pociągi i potem przez lata nie mogłem bez tego dźwięku zasnąć. I uczepił się tych pociągów, nie wiem, czy że długie, czy że co, ale nic go nie obchodziły żadne moje realne historie z dzieciństwa, tylko ten dźwięk pociągu. Potem się przyznał, że też lubi dźwięk pociągu. Spojrzałem za okno. Pogoda była dziwna, bo jakieś siedemnaście stopi, za oknem był półmrok i ogólnie czuło się, że w środku lata jesień wystąpiła, zupełnie tak, jak w jakimś parku zdrojowym w Krynicy. I on na to, że w Krynicy musiałem mieć jakąś traumę z kobietą, że stąd boję się bliskości i dlatego smakuje mi woda Zuber. Przecież ona nikomu nie smakuje. I czy

Paulina mi kogoś przypomina? Pytam, czy matkę ma mi przypominać. A on na to, że to on pyta. Ja mu mówię, że nie przypomina mi matki. A on, że no właśnie. A potem, czemu się boję kobiet. Ja mówię, że się nie boję kobiet, ale niektóre są głupie. Poza tym faceci też są głupi. A on, że czyli jednak mam w sobie jakiś pierwiastek, który kieruje mnie ku mężczyznom. A potem pyta, kiedy miałem seks. Ja mu mówię, że no z miesiąc nie miałem, bo nie wiem, jak z tą Pauliną, że jej na wszelki wypadek nie zdradzę, poza tym nie rucham na lewo i prawo. A no właśnie, tak powiedział. A no właśnie, powtórzył. A jak było w Krynicy? Mówię, że nie wiem, bo byłem dawno z ojcem. I on o wzorzec męski się pyta, a potem mówi, że podziwia teksty mojego starego, że naprawdę to guru polskiej seksuologii. Ja mówię, że mój stary jest zwykłym alkoholikiem, ale powtórzę, że ma fana. Naprawdę potrafi dużo wypić, ale nie bije matki, raczej znęca się nad nią milcząc. A on na to jak każdy, że mi się to zaczęło dużo wcześniej. Ja mu mówię, że jak miałem trzynaście lat, to zacząłem odlatywać, a on się pyta, co było w 86 roku?

Oni wszyscy się o to pytają w kółko. Ja mu mówię, że wybuchła elektrownia w Czarnobylu, a on mi, że przecież nie potrafię budować trwałych związków. No mu mówię, że być może, a on już milczy tylko. Pół godziny całe milczy i czeka, aż ja coś powiem. Ja nic nie mówię...

I tak godzina minęła. Wychodząc znów wytarł buty i wreszcie mogłem się spokojnie rozwalić przed telewizorem.

Mieszkanie mam na Mokotowie, zupełnie zielone takie i z meblami z lat pięćdziesiątych. Drewniane duże okno, parkiet starty i wersalka, na której zmarła właścicielka. Naprawdę fajnie i niedrogo. Blisko stacja benzynowa i bar Lotos. Naprzeciwko wytwórnia filmowa.

Paulina wydzwania i w końcu idę. Ubrałem się, umyłem zęby, pomyślałem chwilę, czy zabrać rower, nie zabrałem i wyszedłem na autobus. Jakimś dziwnym trafem umówiliśmy się w ogrodzie botanicznym i Paulina na tle systematyki roślin wyglądała naprawdę bardzo fajnie, chociaż po tym wszystkim miała w sobie coś z kompletnej idiotki. No, ale usta takie jak wasze dziewczyny, co wysyłają wam zdjęcia komórką i od bliskości obiektywu ich buziak się przerysowuje, ale ona takie ma na codzień. Jest naprawdę dziełem Boga.

A głupota jest ważna, takie rzeczy potrafią nawet popsuć bardzo seksowny tyłek. Siedziała na ławce i czytała „National Geographic". Jej ulubiona gazeta, bo pasjonuje się archeologią, a tak na co dzień jest Account Managerem w agencji BBDO.

– No i? – usiadłem obok.

– No i nic, no – zwinęła gazetę i schowała do torby.

– No właśnie, no.

– Ja odwołuję to wszystko, co powiedziałam, ja.. Nie chciałam.

– Znaczy odkochałaś się?

– W Rafale?

– Jakim Rafale? – dodałem jeszcze słowo „kurwa".

– No ode mnie z pracy. Z kreacji.

Poczułem się lekko głupio. Ona jakby nagle zrozumiała, że przyczyną rozstania był kto inny i mnie natychmiast przytuliła. Miałem się nie martwić w ogóle, kompletnie nie przejmować, bo będzie dobrze, będzie jak dawniej. Co ja na to? No ja powiedziałem, że gubię się w tym, co ona mówi, zresztą jak zwykle, a ona na to, żebym jej nie wpędzał w poczucie winy, że przecież mi powiedziała, jak było, a teraz przecież na dodatek powiedziała mi o Rafale, a ja oczywiście udaję, że nie wiem o którego Rafała chodzi. Na każdej imprezie traktowałem go z góry. Tak, tak, z lotu ptaka. A on mnie z żabiej perspektywy. I tak skrzeczał. Jak mogłem go przeoczyć.

– Jak mogłem?

– A jak mogłeś nie widzieć tego, że jak mi źle to po prostu płaczę?

– Nie płakałaś nigdy przy mnie.

– No właśnie, jak mogłeś tego nie widzieć, że płaczę, jak nie patrzysz?

Tu zaczęła płakać i rwać jakieś chronione rośliny. Kiwałem głową, że widzę, jak płacze.

– I tak, powiem, że gdybym ja, kiedy jest mi źle stawała się na przykład niewidzialna, to już tysiąc razy świat mnie nigdy by nie zobaczył. Słuchasz mnie? Widzisz MNIE? JESTEM? Ja staram się być dla ciebie niewidzialna, żebyś mnie zobaczył, ale taki Rafał, z którym nic nie było, taki drugi, czy trzeci, z którymi też nic nie było, nic nie sprawią, że mnie dostrzegasz.

– Więc zdradzasz mnie, znaczy, nie zdradzasz mnie, żebym czuł się zazdrosny?

– Kto powiedział, że cię zdradziłam? Nie byliśmy ze sobą przez chwilę... wcale cię nie zdradziłam.

Po jakiejś półgodzinie, wrzasku i mojego półuśmiechu i zbierania wszystkich tych ciosów, wstałem i poszedłem dosyć szybko w stronę Trasy Łazienkowskiej. Tak mnie zamroczyło, że nagle poczułem, że jestem na Saskiej Kępie. Biegłem wzdłuż basenów Nimfy. Nie wiedziałem, co się stało. Zacząłem zwalniać... i szedłem już powoli całkiem.

Usiadłem sobie na ławce w okolicach różanego ogrodu w Parku Skaryszewskim. Na resztkach wałów Stadionu X-Lecia jakichś dwóch matołów próbowało latać na jakimiś takim przerośniętym latawcu. Wylatywali w powietrze tak, no może tyle, ile ja po jedynce z geografii. Co tak ludzi ciągnie w górę, to ja nie wiem. Nie, że będę udawał, nie, że nie jest fajnie, ale jest tyle różnych fajnych zajęć a ludzi ciągnie do tych najbardziej nierealnych.

Nie lubię roślin ozdobnych, ale tu jest zawsze jakoś do zniesienia.

Przyszło mi do głowy, że nie chcę tu być, że w tym mieście, w tej pracy w Computerlandzie, przy tym numerze telefonu, przy szeleście komiksów matki, przy opowieściach ojca, że napisał o stulejce jako przyczynie samobójstw u młodzieży, przy bandzie napalonych lekarzy, przy odwiedzinach mafii, sms-ach Pauliny, że przy tym wszystkim po prostu jestem jakiś wepchnięty w ziemię, stłamszony, a przecież mógłbym swobodnie latać po świecie. Mógłbym się odwiązać od ziemi i może dolecieć gdzieś, gdzie nawet nie wiem, że nie byłem.

Od strony Teatru Powszechnego szło dwóch czterdziestolatków w skórach. Mieli łyse głowy, szczupłe sylwetki i okulary, które nie czyniły z nich intelektualistów. Za minutę siedzieli ze mną na ławce i pytali, czy rozważyłem propozycję pana Kiełbińskiego. Powiedziałem, że się nie zastanawiałem, że mam swoje problemy, a poza tym w miarę zarabiam jako tester aplikacji, że może by sobie poszukali kogoś innego. Niedługo być może będę project managerem. Trząsłem się nieco.

Dali mi tydzień i poszli. W sumie mógłbym stawać się niewidzialny, ale zamiast tego poszedłem do Cafe Sax na Francuską 31, gdzie pierwsze życiowe piwa wypijałem jeszcze z Agnieszką Osiecką, a potem przez lata z bandą opłakujących ją kolegów. Kurwa. Zamiast Saxa stałem przed czymś, co nazywało się Cafe Baobab, a w środku stało dwóch wielkich jak chuj Senegalczyków.

To był mój ostatni cios tego, dnia, spociłem się, łyknąłem trzy xanaksy, odczekałem, zamówiłem taksówkę i nieumyty zasnąłem przed telewizorem.

Rozdział 3 – Odessa, Tbilisi, Samarkanda

Dla mafii tydzień oznacza około dziesięciu godzin i byli u mnie już o ósmej. Znów dwaj panowie z Teatru Powszechnego.

– Buty wytrzeć – powiedziałem zaspany.

– Chcesz nas obrazić, gościu? – odpowiedział ten w ładniejszych okularach.

– Nie wiem, śpię, zapraszam, kawy, herbaty, coś mocniejszego?

Odmówili, już z kanapy, na której przed chwilą jeszcze spałem. Jeden od razu naniósł mi na podłogę tonę błota, więc pomyślałem, że właśnie kogoś zakopywali w Puszczy Kampinoskiej. Powiedziałem, żeby poczekali, bo ja se zrobię kawy, a oni zajęli się przerzucaniem kanałów. Wziąłem dwie tabletki, nalałem wody z kranu i wróciłem do pokoju.

– Kochasz tę Paulinę wciąż, gościu? Jest ładna, ale to nie twój typ, ty jesteś zbyt wrażliwy na takie zdziry – nie wiem, który to powiedział.

– Co?

– Pytam.

– Nie wiem, jakby, nie wiem, wkurwia mnie.

– I o to chodzi. Mocz knotka, ale z dala od miłości, gościu.

– To jest z Buddy?

– Co, kurwa? Wstać?

– Nie.

– No to mówię, z dala od uczuć, one zabijają w nas myślenie. Intelekt to podstawa, sam wiesz, gościu.

– No ta, ona mnie tak wpienia, że dostaję objawów.

Popatrzyli na siebie zdziwieni i wtedy zrozumiałem, że oni sądzą, że ja jestem Supermanem. Uśmiechnąłem się szeroko.

– Co ty mówisz, gościu? Ty jesteś normalny, swój. Tylko się przestań blokować.

Powiedziałem im, że czegoś nie rozumieją. Przeszukałem im

szufladę, gdzie spodziewałem się znaleźć historię choroby, a jak już znalazłem, to wręczyłem im po kopii. Około godziny odcyfrowywali lekarskie bazgroły i robili naprawdę głupie miny. Szeptali sobie coś o wszystkich klinicznych testach i zespole czynników wywołującym określony rodzaj stresu, którego dotąd nie znano. Najbardziej uderzył ich fakt, że w laboratorium nie udało się go odtworzyć.

Dopiero dzwonek do drzwi i moja matka na progu sprawiły, że się ocknęli.

– Dzień dobry – matka wyciągnęła do nich rękę – jestem mamą.

Powiedziałem, że to koledzy Kiełbasy i matka usiłowała ich też zaprosić na obiad. Zmyli się bardzo szybko, a ja zostałem zawleczony do samochodu i pojechaliśmy na Saską Kępę. Ojciec siedział jeszcze u siebie, walił wino z gwinta, palił fajkę i pisał coś na swoim nowym MacBooku. Cały czas miał ten swój orli nos, tylko trochę posiwiał. Cały pokój był w regałach z książkami, których nigdy nikt nie czytał.

– Cześć synu mój – wydusił.

– Cześć stary mój.

– Jak sprawy?

– Chujowo.

– Świetnie, masz gotowe dialogi, widzisz, mógłbyś zacząć pisać powieść. Zawsze ci to mówiłem. A jak studia?

– Świetnie. Zawsze kazałeś mi być znanym fotografem, a nie pisarzem.

– To ty jeszcze studiujesz?

– Świetnie – powiedziałem i wyszedłem, zatrzaskując drzwi.

Matka wołała na obiad. Ojciec oczywiście nie przyszedł, bo był o coś obrażony, a ja jadłem nawet, bo byłem głodny.

– Jak zjesz, to może byś coś polatał, co? Tak zawsze lubiłeś latać. Nie, tak się śmieję tylko.

– Wróciłaś do pracy?

– No pewnie. Mam mnóstwo zamówień. Projektuję bez przerwy.

– To świetnie.

– No a jak z Pauliną? W ogóle było zamazane zdjęcie w „Fakcie", ale to nie byłeś ty, ja wiem. Mógłbyś ich podać do sądu. To znaczy, to taka fajna dziewczyna, jak Lois Lane, wiesz? Zawsze mi ją przypominała...

– Gorzej się mamo czujesz?

– Nie synku, coraz lepiej – pogłaskała mnie po głowie.

– To świetnie, ja też.

Matka się zasępiła i na tym skończyła się rozmowa. Ojciec przyszedł dopiero, kiedy skończyło mu się wino. Spojrzał na stół, stwierdził, że żyjemy jak królowie, wziął piwo z lodówki i wrócił do siebie. Ja posiedziałem jeszcze chwilę z milczącą matką i wyszedłem na dwór. Słońce świeciło i poszedłem sobie Walecznych, Francuską, Zieleniecką aż do placu Hallera, gdzie wyciągnąłem Mirona na piwo. Siedzieliśmy na skwerku i po trzech butelkach zacząłem się żalić na Paulinę, a on mówił, żebym przestał się nią zajmować, choć z drugiej strony to zazdrościł mi, że trafiam na dziewczyny ze skazą. Zawsze się tym podnieca, jak wypije trochę.

Miron jest duży bardzo i nosi okulary. Pracuje jako jakiś gość od reklamy, ale nienawidzi całego świata i po pracy zawsze pije u siebie na skwerku. Miron kompletnie niczym się nie interesuje. W nic nigdy się nie zaangażował. Miron ma kompletnie wszystko w dupie. O Mironie naprawdę niewiele wiadomo. Ma psa. Mieszka z matką. Lubi materiały wybuchowe. Dużo waży i jest rudy. Miron nie ma też poglądów politycznych, żadnych nie ma poglądów. Udaje, że nic nie wie, bo mu jest tak zupełnie wygonie. Prawie się nie odzywa. Poznaliśmy się jeszcze w szkole i od razu się dogadaliśmy. To znaczy prawie od razu. Potem żeśmy nawet razem studiowali i tak w sumie, to w życiu najwięcej z nim wypiłem.

Powoli się ściemniało, a my byliśmy już ledwo ciepli. Zrobiło mi się zimno i chciałem się jak najszybciej dostać do domu. Nie miałem na taksówkę, autobus jakoś nie wiem, gdzie jechał, więc poszedłem pieszo. Słuchałem wycia zwierząt przy Zoo, potem gapiłem się na Czterech Śpiących i wydało mi się, że jestem gdzieś na Wschodzie. Zachciało mi się wzbić w powietrze, polecieć do miejsc, które od dziecka wydawały mi się miastami z bajki. Do Odessy. Do Tbilisi. Do Samarkandy. Obudziłem się we własnym łóżku.

Jak się człowiek nałyka odpowiedniej ilości proszków, to nie ma prawie kaca. Wykąpałem się lekko i poszedłem na spacer do Łazienek. Dziś lato wisiało nad człowiekiem, ale jesień chowała się za każdym drzewem. Chodziłem i zaliczałem wszystkie po kolei świątynie, amfiteatry, muzeum z chrabąszczami, a potem wróciłem do Lotosa na obiad i zabrałem z domu longboarda. Sobota była i w poniedziałek kończył mi się urlop. Mogłem iść w sumie na długie zwolnienie, ale trzeba było zaczął się ogarniać.

Ze dwadzieścia razy podlazłem pod Agrykolę i zjechałem, raz nawet pod koła straży miejskiej. Słaby tu jest asfalt i jedzie się najwyżej pięćdziesiąt na godzinę. Wszystko to na kaca i motywację, człowiek się zdrowo męczy, endorfin więcej niż od biegania, tak jakby deskorolka też należała do systemu sztucznego podtrzymywania na duchu.

No bo Paulina się nie odzywała, no bo w ogóle nikt się dziś nie odzywał i chciałem jakoś zupełnie samowystarczalnie naładować się tego dnia, bo jutro przyjdzie niedziela przed poniedziałkiem i będę miał spadek wszystkiego. Miałem plan się już nie upić, bo dwa dni picia to już w moim wieku jest delirium, zresztą po dwóch przepitych i przepalonych wieczorach to ja już czuję, że mam co najmniej raka kilku narządów.

Zupełnie zmęczony, na Chełmskiej byłem koło osiemnastej. Nikt mi nie obrabował mieszkania. Nikt nie zostawił liściku. Nawet ulotki z pizzerii nie było.

Ustawiłem trzy kubki. Rumianek. Zielona herbata. Czerwona herbata. Dziurawiec. Zalałem wodą. Pozmywałem. Umyłem się dokładnie gąbką, żeby mi się krążenie poprawiło i tak zupełnie przyjemnie zmęczony rozsiadłem się przed blokiem faktów, wiadomości informacji. Liczyłem na coś dobrego koło dwudziestej, ale pozostał mi *Obcy vs Predator.* Na koniec, kiedy bohaterka dostała jakąś dzidę od króla Predatorów, wziąłem dwa xanaksy, popiłem rumiankiem, zgarnąłem słotwinkę do łóżka i położyłem się spać.

Śniły mi się trzy miasta, a najbardziej to z okładki książki stojącej u mojego ojca, jakiejś o trębaczu takiej, śniło mi się, że dojechałem tam pociągiem, ponieważ ja w snach nigdy nie latam.

Kiedy się obudziłem, w mieszkaniu nic nie było na swoim miejscu.

Rozdział 4 – Los we własnych rękach

Sprzątałem powoli, bo w zasadzie nie wiedziałem za co się zabrać. Drzwi były nieruszone i gdyby nie oczywisty absurd, pomyślałbym, że to moja matka szukała zaginionego komiksu. Mogła to być równie dobrze mafia, mogli to być zniecierpliwieni chłopcy z Archiwum X, którzy szukali śladów mojej spermy, żeby wyhodować nadczłowieka. Akcja o kryptonimie xanax. Może to ja sam lunatykowałem. Może Paulina czyniła zemstę. No, ale ona nie wiedziała, gdzie mieszkam.

Chyba nie wiedziała. Po lekach nie martwiłem się tym wszystkim, ale miałem mętlik w głowie. Nie wiedziałem, czy coś zginęło, czy nie. Pomyślałem, że naprawdę trzeba by coś zacząć działać, coś zacząć robić, ale nie wiedziałem, w którym kierunku. Nic nie wiedziałem. Usiadłem na podłodze i przeglądałem jakieś wyniki testów wydajnościowych naszej aplikacji wdrażanej w TP SA. Wstałem, zebrałem resztę dokumentów z pracy i wyrzuciłem je na klatkę schodową.

Co dalej? Zacząłem przebierać leżące na podłodze ubrania. Znalazłem karton i te, w których nie byłem ponad pół roku, lądowały na przemiał. To samo robiłem z różnymi papierami, oszczędziłem tylko skrzyneczkę z fragmentami byłych dziewczyn, bo wyrzucanie pukli włosów akurat teraz, wydało mi się żałosne. Prezenty od Pauliny postanowiłem wynieść jakoś za tydzień. Minęło pół niedzieli i powoli dawało się już przejść przez przedpokój. Pod śmietnikiem natomiast stała góra pudeł, papierów, torebek i dokumentów. Dzieci byłego esbeka z dołu nieśmiało przebierały co lepsze rzeczy. Zanosiły je pod okno i matka albo akceptowała albo nie. Zasadniczo góra się nie zmniejszała, bo kobiecie zupełnie nie pasowały moje ciuchy.

Poszedłem do sklepu po bułki i kefir. Ogarniał mnie szał. Czułem duży przyrost energii. Mogłem zmieniać świat. Usiadłem na ławce, miałem jeszcze kabanosa i zjadłem to wszystko tuż przed bramą wytwórni filmowej.

Właśnie wyjeżdżał z niej Andrzej Wajda i pomyślałem, że mógłby zrobić o mnie film jakiś, a za chwilę okazało się, że to jest jednak inny reżyser. Zawsze mi się mylili. Wiem, że ten drugi lubił chłopców z dworca.

Wróciłem do domu i kiedy usiłowałem wyszarpać deskorolkę, nagle zobaczyłem coś zupełnie nie mojego. Pod dywanem leżała jakaś karta, taki otwieracz do drzwi i jeszcze mały kluczyk. Obydwie te rzeczy były na smyczce RMF MAXXX. Otwieracz był szary i niepodpisany. Trzymałem to coś za smycz i gapiłem się jakieś dziesięć minut.

Kiedy już jeździłem na desce, cały czas myślałem, co to do kurwy nędzy jest. Karta z kluczem wylądowała w torebce foliowej, torebka w mojej kieszeni. Nie wiedziałem jeszcze, gdzie ukryć ten ślad, czy raczej poszlakę, ale zastanawianie się nad tym bardzo mnie kręciło. Teraz na bank ktoś mnie śledził. Ktoś mnie obserwował. Czy wiedzą, że ja to mam? A co ja wiem?

– Nie odbierasz telefonów – Miron klepnął mnie w plecy.

– A bo jeżdżę.

– Mów, jak jest.

– Co, jak jest?

– Wiem, że już się to dzieje.

– Co się dzieje? Apokalipsa?

– Ja wiem. Idziemy do Źródełka.

– Ej, ja jutro idę do pracy. Gorzej ci?

– Nie idziesz jutro do pracy. Trzeba zacząć działać.

– No trzeba. Trzeba by. Przy takiej powadze w twoim głosie, to tak.

– No, mam do ciebie kilka pytań.

Zabrał moją deskorolkę pod pachę i poszliśmy w milczeniu. Miron wiedział, że opowieść musi się zacząć przy pierwszym łyku piwa i odpaleniu papierosa. Rozumieliśmy się bez słów. Miron ma ten dar, że pewne rzeczy widzi. Nie, że ma okulary, ale naprawdę zauważa więcej. Oglądał papier ścierny na desce, jakby widział coś takiego po raz pierwszy. Usiedliśmy. Zamówiliśmy piwo. Zapaliliśmy.

– Po co się jeździ na takiej desce? – pierwsze pytanie.

– No jedziesz w dół, szybko, no.

– Ale po co? – drugie pytanie.

– No to jest adrenalina. Znaczy wiem, że nie znasz tego uczucia.

– Złamałeś sobie coś? – trzecie pytanie.

– Raz rękę, jak mi gość samochodem drogę zajechał i mi pękła czaszka kiedyś w górach. No i raz złamałem, jak mnie zepchnąłeś ze schodów.

– A kask? – czwarte pytanie.

– W górach się rozpadł całkiem.

– A to ludzie robią zamiast ruchania? – piąte pytanie.

– Zamiast ruchania, to piją piwo i pierdolą.

– No więc Paulina do mnie dzwoniła, że się martwi, że cię kocha, ale zupełnie nie wie, co ma zrobić.

– No i co jej powiedziałeś? – moje pytanie.

– Że się wszystkim zajmę.

– Tyle? – znów moje pytanie.

– No chciałem się jeszcze z nią umówić, ale przypomniała mi, że kiedyś pytałem ją o to, czy lubi se łyknąć spermy. Ja mówię takie rzeczy?

– A czemu nie masz dziewczyny? – i jeszcze moje.

– Też mam emocjonalną pustkę, ale trzeba zacząć działać.

Miron poszedł po piwo, bo pije w potwornym tempie. Przyniósł od razu trzy. Dwa dla siebie i jedno dla mnie. Wyszedłem do ubikacji i wydłubałem z kieszeni listek xanaksu. Jeden. Dwa. Trzy? Spojrzałem w lustro. Nie, i tak piję piwo. Zasnę. Bez sensu. Popiłem wodą i wróciłem. Miron gadał z dziewczyną przy stoliku obok. Usiadłem i przysłuchiwałem się, jak obydwoje porównują Nowy Jork z Bydgoszczą.

– A ty co siedzisz tak? – zapytała chyba nagle mnie.

Miała okulary, czarne bardzo włosy i była dosyć opalona. Tak ze dwadzieścia trzy lata i pewnie studiowała kulturoznawstwo. Miała duże piersi i obcisłe na tyłku spodnie. Wiem, bo wstała zaraz, opuściła swoje towarzystwo i przesiadła się do nas.

– Julian – wyciągnąłem rękę.

– Słyszałam od Mirona, że nie układa ci się z laskami, bo każdą doprowadzasz do tego, żeby cię rzuciła. Nie umiesz budować trwałych związków.

Powiedziałem, że się z nią zgadzam.

Xanax zaraz zacznie działać, pomyślałem. Czemu Miron się nie odzywa? Poczułem, że opadam z sił. Przestałem słuchać, co mówi ta dziewczyna. Trajkotała strasznie, a Miron zniknął.

– Co?

– Słuchasz mnie? Coś ci jest?

– Spać mi się chce. Gdzie jest Miron?

– Poszedł. Może też się przejdziemy?

– Gdzie poszedł?

– Skąd mam wiedzieć?

– A czy ty wiesz, że ja potrafię latać?

Miron się napatoczył i ściskał w rękach chyba sześć kufli.

– Zaraz zamykają i pobrałem na zapas.

– Już?

– No niby do 22, ale zaraz baba przestanie sprzedawać, bo mecz się kończy. Jak tam?

– W porządku ten twój kolega. Umie latać.

Miron nic nie powiedział. Skrzywił się. Usiadł blisko, za blisko niej i nagle zaczęło mnie to wkurwiać. Jej lewa ręka przesunęła się jeszcze bardziej w lewo i gdzieś pod stołem musiała być przynajmniej na jego kolanie.

– Czy my dojdziemy do rzeczy?

– Zdążymy. Nie martw się. Wszystko załatwię. Tylko wyjmij jutro rano pieniądze z lokaty na mieszkanie.

Zamurowało mnie. Leki mieszały mi się z piwem, stłumione emocje chciały wyłazić na wierzch i czułem się coraz bardziej zdezorientowany. Kiedy dopijałem czwarte piwo, nie wiedziałem już, gdzie jestem. Nawet biegające tłumy kiboli i policji docierały do mnie coraz mniej.

Obudziłem się na podłodze. Na środku pustego pokoju. Jedyny sprzęt to włączony telewizor i pilot obok mnie. I nie pamiętałem kompletnie, że wczoraj w pewnym momencie, kiedy byliśmy sami, Miron powiedział:

„ – Czego ty chcesz kurwa? Myślisz, że jesteś jedyny? Dziwisz się, że było, jak było? No przecież nic złego nie robiłem. Mam taką pracę. Co poradzę, że jestem tajnym agentem?

– Takim z filmu?

– Nie pij już.

– Ja nic nie mówię. Jesteś tajnym agentem, a ja jestem mutantem po wybuchu w Czarnobylu. Akurat całe promieniowanie zajebało w mój pokój. Twój stary, nie stary ma fantazję.

– A gdzie byłeś w dniu wybuchu?

– W Warszawie, jak każdy.

– To zapytam inaczej.

– Dobra.

– W dniu wybuchu bawiłeś się tam, gdzie dziś jest stacja BP.

– No tam, co fabryka była ta kiedyś.

– Tak, tuż obok płotu. Za nim były drzewa, a za nimi jeden z odbiorników Nadajnika CZ2.

– Miron, masz trzydzieści lat. Jakiego nadajnika? Były jakieś radary, no pamiętam.

– A z kim się bawiłeś w *Dempsey i Makepeace na tropie*?

– Z Julią z ósmego.

– Co z nią?

– Nie wiem. Zniknęła.

– No właśnie. To teraz słuchaj uważnie.

– Słucham.

– Ewa mi się podoba od dawna, więc się nie wpierdalaj. Cicho, wyszła z kibla."

W ogóle nie pamiętałem tej rozmowy, więc tak w powietrze spytałem, gdzie jest moja deskorolka. W kieszeni nie było też karty i kluczyka.

– Ukryłem ją dobrze – zza mnie nadleciał głos Mirona.

– Deskorolkę?

– Nie tak głośno.

– Kurczę, film mi się urwał kompletnie.

– No ja też jakoś mało pamiętam, szczególnie...

Nie miałem siły go słuchać. Nie miałem siły się odwrócić. Nic nie mówiłem, tylko opadłem na ziemię. Patrzyłem na papierowy żyrandol i wszystko zaczęło się kręcić.

– Gdzie jestem? – spytałem po godzinie.

– W bezpiecznym miejscu.

– Co kurwa? Co to jest, kurwa, Szare Szeregi? Co my robimy? Jest poniedziałek w południe, mam siedem telefonów od kierownika. Kurwa.

– Byłem u ciebie w domu.

– Co? Po co? Jezu, słońce mnie razi.

– Tak, ładna pogoda. Babie lato takie. Naprawdę jest cudownie.

– Miron, ja nie mogę się odwrócić, bo mnie kark boli, ale to ty, co? Jesteś zjarany, tak? Wszystko jest ok, prawda?

– Za kilka dni będziemy już daleko od tego wszystkiego. Póki co zostaniesz tutaj.

– Co się stało? Ty coś wiesz, czego ja nie wiem?

– No jasne, że tak.

– Ona tu jest?

– Kto?

– No ta ciemna z cyckami.

– Na zajęciach. Wróci niedługo.

– Czy jest okupacja? Przyniesie mi trochę ziemniaków?

– Muszę iść. Wrócę z ojcem. Umyj się, weź leki, odpocznij.

W przedpokoju jest twój plecak, zobacz, czy wszystko zabrałem. Portfel leży na stoliku. Wieczorem zlikwidujesz lokatę.

– I nielegalne konto w Szwajcarii.

Mieszkanie miało trzy pokoje i wyglądało, jakby ktoś bardzo powoli się do niego sprowadzał. Kuchnia zabudowana, ale już w następnym pokoju znajdował się tylko materac i pudełka z ciuchami, a trzeci pokój był zupełnie pusty.

– Idealne miejsce na tajne komplety – powiedziałem do siebie.

Przywlokłem plecak do pokoju z telewizorem i zacząłem przeglądać ciuchy, które zabrał dla mnie Miron. Nie były to moje ulubione rzeczy, ale pewnie nie miał łatwej sprawy. Na dnie plecaka była koperta z dwoma tysiącami euro, które na czarną godzinę ukryłem za lodówką i dziesięć opakowań xanaksu na najczarniejszą godzinę, które trzymałem pod wanną. Nie mogłem w to uwierzyć i pozwoliłem sobie na dwie tabletki. Takie malutkie.

Z balkonu miałem widok na rzekę i resztki Stadionu X-Lecia. Wyglądało na to, że jestem w tym wysokim budynku naprzeciwko Muzeum Wojska. Nade mną było tylko piętro, gdzie kiedyś była knajpa ze strpitizem i redakcja „Machiny". Zapaliłem i patrzyłem na Pragę. Dochodziło do mnie, że zaraz będziemy się żegnać, choć w zasadzie nie wiedziałem czemu. Mafia mnie ściga. Ktoś splądrował mi mieszkanie. Lekarze nie dają mi spokoju. Paulina mnie puściła kantem. Mam nudną pracę. Mam odłożone ponad 40 tysięcy. Trzeba zacząć działać.

I nim dopaliłem, odpowiedziałem sobie na wszelkie wątpliwości.

Zgłodniałem.

Drzwi zazgrzytały dopiero koło piętnastej i w przedpokoju pojawiła się dziewczyna, której imienia nie pamiętam. Podeszła do mnie i pocałowała ni to w policzek, ni to w usta.

– Mam chińczyka. Chodź. Jezu, ale się narobiłam. Rozumiesz, zajęcia od rana, kurwa, jak ja nienawidzę malować. Po co ja poszłam na ASP, powiesz mi?

Jedliśmy kulki z kurczaka, a ona opowiadała, jak to jest być na trzecim roku. Jak to jest być zdolną. Jak to jest być laską, którą wszyscy chcą zerżnąć. Wszystko opowiadała, a ja traciłem trochę swój polot, bo ONA mnie onieśmielała. Nie wiem, czy tak było już wczoraj, ale nad chińczykiem czułem, że pozostaje mi opcja uważnie słuchać. I słuchałem, a ona mówiła.

Zadzwoniła Paulina i poczułem się uratowany.

– Co?

– Gdzie jesteś?

Dziewczyna machała głową przecząco.

– U babci.

– Jakiej babci?

– Mojej.

– W Falenicy?

– Tak.

– Pogodziliście się?

– Co chcesz?

– Usłyszeć twój głos, ptaszku.

Dziewczyna machała głową przecząco.

– Dobra, muszę kończyć, babcia ma już naprawdę niewiele czasu.

Rozłączyłem się i poczułem się naprawdę źle.

– Co jest? – dziewczyna usiadła mi na kolanach i wtuliła się we mnie.

– Jak masz na imię?

– Ewa.

– Rozumiem.

– Chodź, obejrzymy jakiś film. Teraz powinien lecieć Antonioni, ale kolorowy, nie bój się.

– No, ja już nie pamiętam nic. Nie czytam, wiesz. Czasu nie mam, praca, wiesz.

– Chodź – zaśmiała się pociągnęła mnie do pokoju i rozsiedliśmy się przed telewizorem.

– Ja kiedyś to czytałem i oglądałem, ale teraz to już tylko komputery – zawstydziłem się naprawdę.

Film był nawet fajny. Z Jackiem Nicholsonem. Nie widziałem wcześniej.

– Mało mówisz, co? W ogóle mało mówimy, nie sądzisz?

– Nie oglądamy?

– Zadałam ci pytanie.

– No jakoś mnie tak ściska. Normalnie jestem inny, a teraz jestem inny.

– Przeze mnie?

– Też. Ale ty też...

– Mało mówię, wiem. Chcesz mnie?

– Chociaż nie, w zasadzie to dużo gadasz.

– Tak, ale pierdoły gadam, ja mam słowotoki, lubię być gwiazdą i opowiadać jak beznadziejny jest wydział, o którym wszyscy marzą, wiesz. Popisuję się.

I zaraz dodała, że wychodzi. Zanim się obejrzałem, włożyła balerinki, poprawiła włosy, zgarnęła wielką granatową torebkę i ruszyła do drzwi. Coś mnie ścisnęło w klatce.

– Kiedy będziesz?

Drzwi trzasnęły. Zachrobotał zamek. Potem drugi. Trzeci i usłyszałem coś jakby zbieganie po schodach. Rzuciłem się do drzwi i zacząłem manipulować zasuwami. Po pół godzinie wiedziałem już, że nic z tego nie wyjdzie, a na pewno ja. Byłem kompletnie odcięty od świata. Zadzwoniłem do Mirona. Miał wyłączony telefon.

Rozdział 5 – 11 piętro, 63 m 2, pełna lodówka i kablówka

Zajrzałem do lodówki. Była zapełniona żarciem na miesiąc i to pogłębiło mój niepokój. Wyjąłem piwo i podszedłem do okna. Popijałem, paliłem i patrzyłem na lekko już żółtawą Pragę. Wszystko było nie tak. Mijały godziny, zmrok zapadał, a ja tkwiłem sam przy oknie. Zjadłem kanapkę i trochę białego sera. Kilka razy zadzwoniłem do Mirona. Bałem się dzwonić do kogoś innego. Bałem się zadzwonić do matki. Koło dwudziestej trzeciej zrobiło mi się zimno i przymknąłem okno. Wziąłem chyba z szóste piwo i rozsiadłem się z nim na parkiecie. Świeżo cyklinowany. O pierwszej w nocy osunąłem się na podłogę i tak zasnąłem.

Koło szóstej rano czułem, że wszystko mnie boli. Zwymiotowałem i wlazłem do wanny. Znów zasnąłem w ciepłej wodzie. O ósmej obudził mnie dzwonek, który z reguły wzywa mnie do pracy. Był wtorek? Chyba tak. Wziąłem gąbkę, znów odkręciłem ciepłą wodę i myłem się spowolnionymi ruchami. Wciąż czułem się źle.

Słońce padało mi na talerz z jajecznicą. Międliłem widelcem przed Dzień Dobry TVN. Iga Wyrwał mówiła, że ma nie tylko cycki. Wyglądała naprawdę fajnie. Lubię takie dziewczyny na kanapach porannych programów. Ta cała prowadząca wyglądała już znacznie gorzej, więc zjadłem szybko i poszedłem zapalić przy oknie. Normalnie rano nie palę, ale dziś nie było normalnie.

Zadzwoniłem do Mirona. Głucho. Zadzwoniłem do Pauliny, ale rozłączyłem się po trzech sygnałach. Nie oddzwoniła. Słońce było już chłodne, powietrze nad rzeką jesienne. Zapowiadał się piękny dzień.

Zadzwonił telefon.

– Tak?

– Doktor Andrzej z tej strony.

– Wiem.

– Gdzie pan jest, co się dzieje?

– A pan?

– Stoję pod drzwiami.

– Są otwarte, proszę wejść.

Chwilę szarpał za klamkę.

– Proszę mnie wpuścić.

– Nie mogę.

– Proszę mnie wpuścić, nie będę powtarzał. Czy pan jest za drzwiami?

– W toalecie.

– Proszę mnie wpuścić.

– To drzwi są zamknięte?

– TAK.

– Naprawdę mam problemy gastryczne.

– Ale mam coś dla pana.

– A może coś pan zgubił u mnie?

– O czym pan gada, sąsiedzi wyglądają na mnie. Ta baba z dołu, pijaczka.

Usłyszałem szarpanie za klamkę, walenie w drzwi, wreszcie kopanie.

– Niech pan da spokój. Nie ma mnie w domu.

– Co?

– Nie ma mnie w domu.

– Jak to? Idę do rady wydziału. Nie wywiązuje się pan z umowy.

– Nie ma mnie w domu.

– Idę do rady wydziału. To była ostatnia szansa. Miałem coś dla pana.

– Ale z tego co mi się wydaje, pan nie jest z Akademii Medycznej.

– Co? Ma pan paranoje? Proszę, pokazuję legitymację do judasza. Po raz nie wiem który. Idę do rady wydziału.

Wyłączyłem telefon.

– Całkiem możliwe – powiedziałem do siebie. Nie wiedziałem

do czego zmierzałem w tej rozmowie. Zapaliłem. Facet dzwonił kilka razy, aż przestał. Wybiła dziesiąta.

+ Godzina.

+ Dwie godziny.

+ Trzy godziny.

Spróbowałem zadzwonić do Mirona, ale nic. Nie było sygnału.

+ Cztery godziny.

Na półce leżał ledwo napoczęty karton fajek. Wziąłem piwo i wróciłem do okna.

+ Pół paczki.

+ Cztery piwa.

Spróbowałem zadzwonić do Mirona, ale nic. Nie było sygnału. Usiadłem na podłodze pod oknem. Ściemniało się. Nic się nie zdarzało. Ewa nie wracała.

+ Piwo w kuchni.

Chodziłem paląc od pokoju do pokoju. Zahaczałem nawet o łazienkę.

+ Chwila przerzucania kanałów.

+ Podniesienie tyłka i ruszenie się po piwo. Ostatnie.

Patrzyłem na opadający zmrok i kończyłem paczkę. Piwo piłem powoli. W lodówce były jeszcze dwa litry wódki i zaczynałem o nich myśleć. Przekręciłem piwo lekko. Było go pół. Łyknąłem trzy xanaksy. Zapaliłem. Łyknąłem. Zapaliłem. Łyknąłem i łyknąłem. Zapaliłem ostatni raz. Patrzyłem jak kiep spada na trawę i zatoczyłem się na materac.

Mój telefon zaczyna padać. Zero odebranych połączeń. Godzina dziesiąta dwadzieścia. Głowa mnie boli.

Jaki dziś dzień?

Łykam wódki z kranówą i szukam papierosów. Są. Palę. Mam tłuste włosy i dwa pryszcze. Muszę się umyć, ale nie teraz. A jak przyjdzie Ewa? Łykam, kiepuję i idę się myć.

Są kremy. Wyciągamy świeże ciuchy z plecaka i jestem w porządku. Dorzucam swoje do jakichś ubrań w pralce i nastawiam na 90.

Jest dwunasta dziesięć.

Mała wódka + woda z kranu. Teraz mogę zapalić całego papierosa. Jestem czysty.

Papieros.

Papieros

Discovery wciąga na trochę.

Przysypiam

Fascynujące.

Wydzwaniam. Brak odzewu.

Dzwoni Paulina. Jak wiadomo, nie odbieram.

Gadam do siebie.

Obudził mnie telefon.

– Stary kurwa wokół budynku stoją jacyś goście. Pod klatką dwóch. Nie mogę wejść.

– Która godzina?

– Nie wiem, co się dzieje. Wytrzymaj. Coś wymyślę.

– Co ty gadasz? Jaki dziś dzień?

– Oddzwonię.

Rozłączył się i naglę pomyślałem, że zasnę, wytrzeźwieję kompletnie i wyskoczę przez okno.

Pode mną była jakaś impreza.

Wyskoczę przez okno. Rano. Takie decyzje trzeba podejmować na trzeźwo. W tym stanie już mnie nic nie wkurwia.

Pogłośnili muzykę i przez pół nocy nie mogłem spać. Xanax by załatwił sprawę, ale musiałem jakoś wytrzymać. Zacząłem napierdalać szczotką w kaloryfer. Odpowiedzieli mi tym samym i pogłośnili muzykę.

Leżałem i liczyłem skurwysynów.

Mój ojciec.

Rafał z przedszkola.

Ksiądz.

Kierowca 411, który mnie nie wysadził pod szkołą.

Zima.

Śnieg, konkretnie.

Moja siostra, bo zmarła kiedyś.

Ta dziwka z polonistyki.

Ze spożywczego, co mi czerstwy chleb sprzedała.

Razowy.

Cyganie.

Ja.

Lekarze, laryngolodzy głównie.

Miron.

Balzak.

Morze polskie.

Jürgen Stroop.

Profesor od kultury antycznej.

Szef mojego szefa.

Kapitalizm.

Wątróbka.

Żołądki.

Ozorki.

Sen zrywał mi się, ale w końcu się obudziłem. Czułem się jakoś tam. Miałem pięć nieodebranych od Mirona. Natychmiast wystukałem jego numer.

– Kurwa.

– Co?

– Bierz plecak i spierdalaj.

– Wypuść mnie.

– Oni weszli na górę. Stoją na bank pod drzwiami.

– Jakimi drzwiami? Tu? Poczekaj.

– Uciek...

Rozłączyłem się i ściszyłem dzwonek. Zaczynałem się trząść. Czułem się brudny i przepocony. Im bliżej byłem drzwi, tym było mi bardziej gorąco. Wyjrzałem przez wizjer.

No i nic. Nic takiego, ktoś go po prostu od strony klatki zasłonił. Nic takiego i nagle lekko poruszyła się klamka. Przestajesz oddychać. Jesteś figurą woskową. Skrobanie w zamku. Jesteś w skarpetach. Chyba. Nie czujesz nóg i nie patrzysz nigdzie. Górna zasuwa się otwiera.

Nigdy wcześniej nie skakałeś z okna. Plecak waży jakieś czterdzieści kilo. Od ziemi dzieli cię jakieś trzydzieści metrów. Skaczesz.

Rozdział 6 – Warszawa Wschodnia

Staliśmy na wietrze w parku muzycznym za Akademią. Było już zimno, ale sterczenie tu z browarem było naszą tradycją.

– Czytasz w moich myślach?

– Nie mówmy o tym.

– To czemu nie masz dziewczyny?

– Prosiłem.

– Kurwa.

– Co?

– Gówno. Cały plecak zleciał mi na dół i stoczył się ze skarpy. Gdzieś, kurwa, leży w jakichś gównach pewnie.

– No to co?

– Miałem tam leki.

– Będziesz miał leki.

– Nie martw się.

– Nie martwię. Teraz masz komórkę, tylko ja znam ten numer. To prepaid.

Miron wręczył mi jakąś starą obciachową nokię. Schowałem do kieszeni, jakby to, co robimy, było czymś zupełnie naturalnym.

– Nie wiem, co z moją nogą. Ledwo łażę.

– Masz spuchniętą? Pokaż.

– Nie. Ale boli. I w ogóle to ja bym chciał się zapytać, kim jest ta dziewczyna?

– Ewa? Malarką. Jak to jest skakać z okna?

– Normalnie. Jak w każdym filmie, liczysz na to, że najpierw zaczepisz o kilka suszarek, potem będzie markiza kawiarni, a w końcu spadniesz na ciężarówkę wiozącą tapczan. Na nim już leży miłość twojego życia. Mało nie zginąłem, kurwa.

– Cały ryj masz pocięty.

– No jak przejechałem nim po topoli... Kim ona jest? Ona mnie wrabia, czy ty? Co to za ludzie? O ile w ogóle tam byli jacyś ludzie. Ja myślę, że zatkałeś gumą judasza i dysząc grzebałeś w zamku. Co ty na to?

– Wiesz, kurwa, że się skomplikowało. Sam nie wiem, co to byli za ludzie. Wyglądali jak z filmu. No co mam ci powiedzieć, no?

– A coś miłego mi powiesz? Może numer do tej Ewy? Robi pałę? Albo twój cudowny ojciec, co za komuny napierdalał mojego ojca, już tu czeka na mnie i ma ten cudowny, wspaniały, kurwa plan?

– Nie histeryzuj.

Zacząłem się rzucać i kopać w ławkę. Zamachnąłem się, ale Miron złapał mnie za rękę.

– Puść pedale.

Puścił. Za chwilę wyjął z torby moją baterię leków. Były trochę pogniecione. Wziąłem, odwróciłem się i wyszedłem ze światła latarni. Szybkim krokiem ruszyłem po schodach do Złotej Kaczki. Byle przedostać się na Pragę.

Byle przedostać się na Pragę.

Wyłuskałem dwa xanaksy. Nie wiem, co się działo zaraz po skoku. Normalnie, jak ktoś spada z wieżowca, to nie żyje, ale nie ja. Najgorsze jest, że w takich momentach często przestaję kontaktować i nie bardzo pamiętam, co się stało. To się nazywa depersonalizacja albo derealizacja, w chwilach największego stresu coś takiego się ma.

Na Moście Świętokrzyskim wiało. Jesień taka nocna wcale mi się nie podobała. Oprócz niej cała reszta też. Gdzie ja idę?

Gdzie ja idę?

Może polecieć po prostu. Może do babci. Do Falenicy. Będzie bezpiecznie? Kto to był kurwa. Cieli żebym poleciał. Wiedzieli, że polecę na to. Miron. Miron mnie w coś wciągał. Zabrał mi kartę i kluczyk, klucze do domu. Zamknął mnie w mieszkaniu. Niemożliwe. A skąd tyle wiedział? Komórkę mi zabrał i dał... nawet nie znam do siebie telefonu. Tylko on ma ze mną kontakt. Czy on jest, kurwa, zdrowy?

Doszedłem do Targowej, wlazłem w bramę i zadzwoniłem pod 13.

– Słucham?

– Ja.

Wlazłem na górę. Paulina stała na klatce. Za drzwiami była impreza.

– Mam nie wchodzić?

– Czemu, będziesz mógł patrzyć na wszystkich z góry.

– Ładnie wyglądasz.

– Masz jakiś problem?

– Tak.

– Chcesz zostać na noc?

– Tak.

Otworzyła drzwi i muzyka i dym i tłum mnie zaatakował.

– Siema.

– Siema.

– Czołem.

– Hejka.

– O cześć.

– Co tu robisz, kurwo? – zapytał Rafał.

Zaraz potem usiłował nie odstępować Pauliny na krok.

– Ojej, co ci się stało?

– Biłeś się z kimś?

– A czemu wy już tak, no wiesz...

– Dobrze cię widzieć...

– Wyjdź stąd, proszę cię.

Wziąłem jakieś piwo z lodówki i usiadłem po turecku w kącie. Kiepowałem do wazonu i tak sobie siedziałem. Jakaś laska chciała mnie wciągnąć do tańca, ale ja siedziałem. Że za mało wypiłem, że zaraz, chwila.

– Kto idzie do nocnego po wódkę? – krzyknął jakiś kretyn z dziwną grzywką. Wyglądał jak działacz Krytyki Politycznej.

– Nie, ja nie idę. Nie idę. Siedzę, kurwa.

– Sorry.

– Nie ma problemu.

Czekałem, aż Paulina się wyzwoli z macek ośmiornicy w okularach. Nie miałem wyjścia. Nie miałem żadnego wyjścia.

– Czym się zajmujesz? – jakiś gość usiadł jak ja. Dokładnie tak po turecku, jakby go bolała noga.

– A tak latam.

– Widziałem cię chyba już, nie byłeś na wernisażu Bałki w Zachęcie z Pauliną?

– Byłem. Pewnie. Zachęta to obok hotelu Victoria?

– Gość mam jaja.

– Że smaruje coś tam mydłem? To ten?

– No nie coś tam. Co pijesz?

– Piwo z puszki.

– No ja ostatnio tylko „Peroni" (zdrowie), od czasu jak przestało być pedalskie, można się nim szczycić.

– Co? Muzyka za głośno.

– A wiesz, że za ten sweter dałem na przecenie sześć stów?

– Teraz już wiem.

– I idę w nim do pracy, a robię w DDB i mi mój Art mówi, że jeśli wydaje mi się, że jestem dobrze ubrany, to żebym się przejechał do Mediolanu. I wiesz co?

– Nie wiem.

– I wiesz co? On ma rację. Bo ja ostatnio miałem to samo w Monachium. No kosmos, mówię ci.

– No kosmos. A ty, bo widzę, że się znasz. Jak chcę zdjąć lokatę, tak żeby sobie wypłacić to, to ja muszę iść do banku, czy mogę to jakoś przez Internet?

– Tak, ale widziałeś ostatnią akcję Althamera w Nowej Hucie?

– Nie byłem nigdy w Nowej Hucie. I nie znam. Testuję oprogramowanie. Wybaczysz mi?

Gość poszedł, bo nie byłem w grupie docelowej. Ja wstałem jeszcze po piwo, ale była tylko wódka, więc ją wziąłem, usiadłem tak samo jak wcześniej i piłem sobie kiepując już do pustej puszki po piwie. Po co oni poszli po flaszkę, skoro właśnie wypijam im pół litra z lodówki, no to nie wiem. Ludzie powoli przestawali tańczyć. Dziewczyny opadały z sił, szukały drinków. Paulina siedziała ściśnięta przez swojego dobiegacza, z którym mnie zdradziła albo nie. Wysupłałem z kieszeni dwie rozpuszczalne tabletki solpadeine na ból głowy, ale nie miałem ich w czym rozpuścić. Oparłem się o ścianę i powoli zapadałem w sen. Była druga w nocy, kiedy się przebudziłem. Chłopcy od wódki i nocnego jeszcze nie wrócili. Popiłem wódką dwa xanaksy i przytknąłem się do kaloryfera. Jakieś zamieszanie towarzyszyło brakowi kontaktu z trzema chłopcami, bo od kilku godzin żaden nie odbierał telefonu.

I nie mogłem przez to zasnąć. Nie dało się. Paulina wydzwaniała do kogoś. Jej dobiegacz stał w koncie i patrzył na mnie z góry. Strasznie śmiesznie było na to patrzeć tak zupełnie z dołu.

Zasnąłem.

Paulina siedziała obok mnie i piła jakiegoś drinka. Siedziała dosyć blisko i była dosyć pijana.

– Co się dzieje?

– Nie wiem, świat się wali? Nie wiem.

I opowiedziałem od początku, w zasadzie od poranka, kiedy wyszedłem ze swojego mieszkania i już nie wróciłem. Nic nie rozumiała i nie wierzyła.

– Nie rozumiem i nie wierzę. Coś się dzieje z tobą złego.

– To wiem. Nie wiem, co się dzieje z Mironem.

– Mam cię tu ukryć?

– Dwa, trzy dni? Co na to twój gach?

– Strzelił focha. To nie jest mój gach. Jeśli chcesz mnie obrażać, nic z tego.

– Nic z tego. Przytul mnie.

– Później, jak ludzie pójdą. Pomóż mi sprzątać.

– Która?

– Szósta. Wyglądasz jak wrak. A jak cię tu znajdą?

– Kto? Nie wiem. Nie pytaj mnie o to. To twoje urodziny?

– To życzenia będą?

– Jestem jak każdy facet?
– Weź się do roboty. To urodziny Rafała.

Tańczyłem z mopem w rytm *Famous Blue Raincoat*. Resztki ludzi się powoli wysypywały. Do Pauliny wydzwaniał Rafał, a ona go zrzucała. Do mnie nikt nie dzwonił.

– Połóż się spać – Paulina zaciągnęła mnie do sypialni i opadłem na łóżko.

– Ty, czemu dzwoniłaś do Mirona?

– Nie mam do niego telefonu.

– Co?

– Nie mam do niego telefonu. On do mnie dzwonił. Z budki chyba. Śpij.

– Co chciał?

– Śpij.

– Co?

Kiedy się obudziłem, nie czekała na mnie kawa, nie czekało śniadanie, Paulina spała gdzieś na kanapie i nie chciała się wcale obudzić. Obmyłem się lekko i wyszedłem na dwór.

Pan Rafał łypał z trzepaka. Obok rozstawił jeszcze czterech: archeolog, etnograf, copywriter z Saatchi and Saatchi i jeszcze ten z Krytyki Politycznej, który aktualnie był na rowerze. I jak wyszedłem, oni ruszyli w moją stronę. Pan Rafał spod kurtki wyjął kawałek deski i to mnie porządnie poruszyło.

Wybiegam z bramy prosto w Targową. W lewo i gdzieś prosto. Mało ludzi, biegnę. Biegnę. Biegnę. Krzyczą za mną. Rowerzysta mnie wyprzedza. Zajeżdża mi drogę. Tylko ulica mi pozostaje i przecinam ją. Trąbienie i hamowanie. Jestem na torach. Płotek. Wywalam się. Oni w połowie ulicy. Biegnę. Chyba Okrzei. Potrafię przecież szybciej. Ogarnia mnie lęk. Czuję wybawienie. Skoczyłem na dwa metry. Biegnę.

Szczęka mnie zabolała najbardziej. Łysy chudzina stoi nade

mną i trzyma się za czoło. Nad okiem leci mu krew. Obok niego jeszcze paru. Kręci mi się w głowie. Gość pochyla się, łapie mnie za kurtkę i podnosi jak piórko. Widzę jego przerażenie. Z wysokości drugiego piętra wygląda to tak, że czterech chłopców stoi naprzeciwko trzech innych i wszyscy gapią się na mnie. To ja lecę.

Nie, nie łapali mnie za nogi.

Na Targowej wypadek. Lewicowy rowerzysta pod kołami samochodu.

Na dachach gołębie.

Zimno.

Na Okrzei regularna bitwa.

Pomnik Kościuszkowców z tej perspektywy robi na mnie jeszcze większe wrażenie niż w dzieciństwie.

Czemu prawy brzeg nie jest uregulowany?

Pociąg przystaje na Dworcu Stadion.

Miasto wstaje.

Jaki dziś dzień?

Byle nie wylądować na dachu. Nie ma nic gorszego niż lądowanie na dachach. Emocje opadają, człowiek się luzuje i wtedy to dopiero jest w głębokiej dupie. Dopiero wtedy widzi, że to gołębie mają naprawdę dobrze.

Miron musiał zadzwonić akurat w tym momencie.

– Halo?

– Widzę cię, kurwa. Zejdź na ziemię.

Rozdział 7 – Terespol, dziurawy pociąg, nagie kobiety

Dworzec Warszawa Wschodnia. Ja stoję przed Mironem i palę. Miron stoi przede mną i rzuca kiepa do studzienki. Miron przed chwilą wręczył mi mój plecak, cały zalany perfumami Armani Mania. Były tam głównie ciuchy, więc teraz ładnie pachną. Perfumy i błoto. Jeszcze dał mi bilet, schowałem i nie patrzyłem dokąd.

– Wszystko ci wyjaśnię w pociągu.

– Ta.

– O czternastej dwadzieścia.

Spojrzałem na tablicę i widzę Terespol.

– Fajnie. A twój magiczny ojciec?

– Kpisz?

– Kpię.

– Spotkamy się w przedziale.

– Ale co z Ewą? A jeśli coś jej się stało?

– Nie. Nic.

Poczułem się głupio. Nie wiem, czemu mnie nagle podkusiło, żeby wydusić to pytanie.

– Palimy jeszcze?

– Jak chcesz?

– Jak wolisz.

– Kiedyś w podziemiach dworca znalazłem saturator w oryginalnym malowaniu Wars.

– Fajnie.

– Nie klei się.

– Bo masz coś do mnie, a ja kurwa pierwszy raz w życiu robię akcję ratunkową na całego.

– No tego się boję. Czy na przykład dworzec nie jest obstawiony teraz?

– Kpisz.

– Nie. Mam paranoję. Mam dość. Nie wiem, jaki dzień tygodnia. Nie wiem, co się dzieje z moją matką. Nie wiem w ogóle, co się dzieje.

– Nie histeryzuj. Wyjąłeś hajs?

– Co cię to obchodzi?

– To, że ja mam prawie dziesięć tysięcy.

– Czy mam uznać, że prawdziwych przyjaciół poznaje się w biedzie?

Miron odwrócił się i wyszedł z hali. Poszedłem na zapiekankę. Ujebany błotem plecak sprawiał, że czułem się osaczony. Paulina poleciała na moje perfumy, ale wtedy nie było mowy o błocie. Wąchała moją szyję przez całego *Kill Billa*. Po tym chciałem zarzucić randki, ale się nie dała. Miała katar.

Nagle otoczył mnie tłum ludzi, na czele którego stał jakiś debil z plakietką „Gazety Wyborczej" i pieprzył coś o tym, że dzisiejszy spacer rozpoczniemy od Warszawy Wschodniej, która mieści się naprzeciwko tzw. Jamnika, czyli najdłuższego prostego budynku w Warszawie albo i w Polsce. Ludzie patrzyli na ten blok i nie mogli wyjść z podziwu. Stali akurat nad tunelem ewakuacyjnym, który z komory pod dworcem ciągnął się w stronę budynku i wychodził w jednym z garaży, a oni nigdy się o tym nie dowiedzą.

Rozdział 8 – Wcale nie Terespol, dziurawy pociąg, nagie kobiety

Stary Mirona siedział i nic nie mówił. Pociąg ruszył. Zasunął drzwi od przedziału. Oprócz nas był pusty. Widziałem go już kilka razy, ale teraz wyglądał inaczej. Zawsze podjeżdżał pod nas furą pod knajpę i puszczał muzykę na full, teraz przede mną siedział weteran wojny w Afganistanie.

– Wysiadam w Przemyślu. Do tego czasu wszystko ustalimy.

Stary zaczął grzebać w marynarce i wyciągnął z niej kartę i kluczyk na smyczy RMF MAXXX.

– O super – ucieszyłem się.

– Smycz jest z reklamą radia. To taka młodzieżowa stacja z Krakowa. Karta służy prawdopodobnie do otwierania jakiejś bramki, a klucz może być od pokoju.

Zaczął gwałtownie kaszleć, ukrył twarz w dłoniach i charczał tak z pół minuty.

– Chusteczkę?

– Nie – zakaszlał ze dwa razy jeszcze – infekcja zwykła. Bakteryjna raczej, więc nie biorę antybiotyków. Ale nie ważne. Z Przemyśla pojedziecie już autobusem...

– Ale nie skończył pan o karcie.

– Po kolei.

– A ci ludzie pod blokiem?

– Służby specjalne.

– Jakie?

– Nie mogę tego powiedzieć. Wiesz kim byłem i kim wciąż jestem. Zresztą im mniej wiesz, tym lepiej.

Znów zaczął kaszleć. Jakiś facet gwałtownie otworzył drzwi i zapytał, czy mamy wolne miejsca. Stary poderwał się, złapał za klamkę i prawie roztrzaskał mu czaszkę. Facet stanął jak wryty i zaraz pobiegł do następnego wagonu. Za minutę był u nas z konduktorem. Stary przez ten czas kaszlał.

– Co tu się dzieje, panowie? Poproszę bilety.

Daliśmy mu obydwaj. Sprawdził bez słowa, oddał je nam, zamknął drzwi i pociągnął gościa za sobą. Stary Mirona nagle stał się gościem, jakiego pamiętam. Gościem w kryzysie wieku średniego, który jeździ starym mustangiem. Mrugnął do mnie i pokazał faka w stronę odchodzących.

– A Miron gdzie?

– Gówniarza nie mieszamy w to. Wiesz, że on nie jest zbyt lotny. W ogóle czy on sobie znajdzie kiedyś dziewczynę?

– Miał kiedyś.

– No ale miała schizofrenię i dzieciaka. Musiałem się jej pozbyć.

– Karoliny?

– Nieważne. Wiesz, im mniej wiesz, kumasz...

– No to co z tą kartą?

– Którą?

– Tu, leży obok pana, odłożył ją pan, ta ode mnie z mieszkania.

– Ona była u ciebie w mieszkaniu?

Czułem, że dobrze będzie zawczasu otworzyć okno, póki nie jestem za daleko od Warszawy. Był bardziej popieprzony niż jego syn.

– Nieważne.

– Bardzo ważne. To wejściówka do (wycie pociągu zagłuszyło), więc mi nie mów, że nieważne. Ja naprawdę za długo w tym robię, dziecko. Dobrze, że Miron się trochę rozerwie. Siedzi tylko i wymyśla te idiotyczne reklamy, nic tylko przy komputerze. Może teraz mu trochę jaja urosną. Kurwa, że on się wdał aż tak w matkę swoją, ja pierdolę. Olej kartę, olej ludzi pod blokiem. Zapomnij. Żeby to chociaż zimna wojna była, a tak...

– To czemu, kurwa, my uciekamy?

– Mnie się pytasz? Wycieczkę sobie robicie, Miron zawsze chciał się z tobą wybrac gdzieś dalej. A w ogóle, to co ja mam z tym wspólnego? Ja jadę do Przemyśla, wchodzę w spółkę z gościem na dostawy wody „Borjomi" przez Ukrainę. Ulubiona woda Stalina, wiesz. W Unii zakazana, wiesz, bo ma za dużo fluoru, a nie ma lepszej na, kurwa, kaca.

Podniosłem się powoli i zanim przestał kaszleć wylazłem z przedziału. Przebiegłem ze trzy wagony, aż zatrzymałem się wyczerpany. Przez fajki mam fatalną kondycję. Stary dorwał mnie jak jadłem strogonowa w Warsie.

– Mogę usiąść?

– Mhm.

– Mogę cię o coś zapytać?

– Mhm.

– A czy ty też sądzisz, że mój syn jest pedałem?

Kęs utkwił mi w gardle i zacząłem kaszleć. Stary czekał cierpliwie.

– A czemu?

– To ja się pytam.

– Tak.

– No?

– A powie mi pan wreszcie prawdę, jak odpowiem?

– Tak. Słowo.

Rozdział 9 – Przemyśl to albo przygoda życia

Co za chujowa mieścina – pomyślałem wychodząc na peron. Miron sterczał już gdzieś sto metrów dalej. Podlazłem do niego, a stary gdzieś odbił bez słowa w lewo. Nie chciało mi się z nim żegnać. Miałem dość. Znów. Pogoda też była chujowa. Miron miał na sobie foliową pelerynę i wyglądał jak debil.

Powlekliśmy się w stronę busów. Daliśmy kierowcy stówę górką i pojechał od razu. Nie minęło pięć minut, jak byliśmy na miejscu.

– Stary dał ci paszport?

– Dał.

Ustawiliśmy się w ogonie brudnych dziadów i bab. Był ścisk, smród, wszędzie pełno pustych kartonów po fajkach. Mogło to wszystko potrwać jeszcze kilka godzin. Tak zaczynała się przygoda mojego życia.

Miałem w życiu jakieś siedem dziewczyn, pracowałem w magazynie leków, Muzeum Narodowym, firmie poligraficznej, telekomunikacyjnej i ostatnio informatycznej. Żadna z prac nie miała nic wspólnego z moimi studiami i to było zupełnie normalne. Nie miałem z tym problemu. Dochodziła jeszcze jesień. Nie miewałem przez nią depresji. Aż do teraz. Wszystko stanęło mi na głowie. Jakaś kobieta krzyczała, że dzisiaj jest śrubokręt i że on nie maca po cyckach. Jakiś dziad właził na mnie i pluł się, że z takim plecakiem mam wypierdalać. Fala kolejki rzucała mnie raz w lewo raz w prawo. Mirona już dawno pociągnęło do przodu, tak, że zniknął mi z oczu. No ja oczywiście potrafiłem latać, a oni tylko przekraczali granicę Unii.

A czułem się normalnie. Trochę przygnębiony, trochę podniecony. Jak każdy człowiek z Warszawy. Wreszcie dopchałem się do Mirona, a on dociągnął mnie do okienka w małej budce. Cel podróży podałem turystyczny i weszliśmy między granice. Potem jeszcze dał mi wypełnioną kartkę z danymi z mojego paszportu i dwie godziny później siedzieliśmy w autobusie do Lwowa.

Pogoda zaczynała się poprawiać. Coraz częściej wyrastały kopuły cerkwi i nagle Lwów. Po pół godzinie kluczenia przez miasto w palącym słońcu stanęliśmy na progu dworca.

– Chodź – Miron nie dał mi się zatrzymać.

– Ale chcę postać, popatrzeć, czuję się dobrze.

– Zdążysz, proszę, zatrzymamy się w Odessie przecież.

Ruszyłem za nim bez słowa, ale zdążyłem jeszcze wpaść na przewodniczkę jakiejś polskiej wycieczki, która opowiadała, że Felicjan Dulski wcale nie chodził na Kopiec Kościuszki, tylko na Wysoki Zamek.

W pociągu otworzyliśmy po piwie żygulowskim, czy jakimś tam. Słabo czytam te znaczki. Miron mówił coś, że pił je gość w jakiejś książce o Moskwie i jeszcze jakiejś wsi, ale nie czytałem. W zasadzie nic nie czytałem poza Balzakiem, ale wtedy byłem chory.

Pociąg nie miał przedziałów. Naszym wagonem zawiadywała jakaś baba, ale na łóżkach obok było dużo Polaków. Jacyś tacy turyści w butach za kostkę. 80 procent podniecenia. Pociąg rusza. Siedzimy na dolnych siedzeniach i pijemy. Na zmianę chodzimy sikać i jarać w przedsionku. W miarę picia przypominam sobie mój rosyjski.

Potem mi się miesza w głowie i przed oczami mam swojego pierwszego trupa na plaży, trup leży, a ja mam dwanaście lat i jestem z rodzicami na wakacjach.

Codziennie na tej plaży pojawiał się grubiutki chłopiec z niebieskimi oczami. I choć starsi chłopcy bili go po głowie, od razu było widać że jest mózgiem operacji. Mała śliczna dziewczynka chodziła za nim i zbierała dla niego najlepsze kamienie które on potem ciskal w spokojna taflę Jeziora Ochrydzkiego. Chciałem być jak on. Był gruby i szczęśliwy. Klasyka. Za dwa tygodnie chłopiec utonął na rowerze wodnym, który nie wytrzymał jego ciężaru, a ja byłem już ostatni dzień i zaraz mieliśmy wracać do Warszawy.

– Nie wiem, czy mi to zamierzasz wybaczyć.

– Co? To zależy od tego, jak długo będę musiał nosić te debilne okulary.

– Słuchaj, ja nie będę ci matkował. Mam cię przeprowadzić przez kilka granic, to wszystko.

– Twój stary mi powiedział co innego.

– To nie jest mój stary.

– Ale jesteś podobny. Takie macie ubeckie ryje obydwaj.

– Czego ty chcesz kurwa? Myślisz, że jesteś jedyny? Dziwisz się, że było, jak było? No przecież nic złego nie robiłem. Mam taką pracę. Co poradzę, że jestem tajnym agentem?

– Takim z filmu?

– Nie pij już.

– Ja nic nie mówię. Jesteś tajnym agentem, a ja jestem mutantem po wybuchu w Czarnobylu. Akurat całe promieniowanie zajebało w mój pokój. Twój stary, nie stary ma fantazję.

– A gdzie byłeś w dniu wybuchu?

– W Warszawie, jak każdy.

– To zapytam inaczej.

– Dobra.

– Pamiętasz te anteny, radary takie…

Miron w tym momencie wyjął z kieszeni klika fotografii, na których były dokładnie takie jakby radary, które pamiętałem z dzieciństwa…

– One były… – spojrzałem na niego niepewnie.

– W tajnych zakładach RAWAR obok twojego osiedla – dokończył za mnie.

– Ale co to ma, no wiesz…

– W dniu wybuchu bawiłeś się tam, gdzie dziś jest stacja BP.

– No tam, co fabryka była ta kiedyś.

– Tak, tuż obok płotu. Za nim były drzewa, a za nimi jeden z odbiorników OKA MOSKWY.

– Miron, masz trzydzieści lat. Nie jesteś synem swojego ojca. Jesteś tajnym agentem. Ja jestem mutantem.

– A z kim się bawiłeś w *Dempsey i Makepeace na tropie*?
– Z Julią z ósmego.
– Co z nią?
– Nie wiem. Zniknęła.
– No właśnie. To teraz słuchaj uważnie.
– Słucham.
– Ewa mi się podoba od dawna, więc się nie wpierdalaj.

Rozdział 10 – Inaczej niż w Odessie

Po nocnej jeździe wysiedliśmy w Kijowie. Nie wiedziałem już, czy to jakaś pomyłka, czy sztuka dezinformacji posunięta poza granice, ale olałem to i poszedłem do McDonalda przed budynkiem. Suszyło mnie i miałem ochotę na jakieś syntetyczne żarcie. Miron gdzieś się zgubił. W dupie miałem to. Przedarłem się przez kolejkę, już nie mówiłem po rosyjsku, więc powiedziałem *łan czisburger end łan fiszmak*.

Pojawił się po godzinie. Przez ten czas zdążyłem się obeżreć jak świnia i siedziałem z piwem pod stacją metra.

– Chodź.

– Gdzie?

– Umówiłem się z człowiekiem za Ławrą Peczerską.

– Jakim człowiekiem?

– Przekaże nam coś i jedziemy do Odessy. Obiecuję.

– Za czym?

– Co za czym?

Za Ławrą Peczerską stała stumetrowa baba z mieczem i tarczą, na której był sierp i młot. Wokół niej było coś jak nasze Muzeum Wojska pomieszane z Mauzoleum Gottwalda. Gapiłem się na ten pomnik i marzyło mi się, żeby wlecieć na górę. Miron w tym czasie gadał z jakimś Ukraińcem. Nie chcieli, żebym stał obok to oglądałem babę, a potem wlazłem do środka. Pod pomnikiem były różne pamiątki z wojny, nawet niemiecki rozbity samolot i jakieś maszyny z obozów. Czułem się jak dziecko i moje podniecenie sięgało 90 procent. Zawsze lubiłem takie rzeczy. Tak samo jak to mauzoleum w Pradze. Też mi się podobało bardzo, ale wtedy ta cała historia z Pauliną zupełnie odwróciła moją uwagę.

Teraz zrobił to Miron.

– Gdzie, kurwa?
– To jest piec? Do palenia ludzi?
– Chodź już.
– Ale na deszcz się zbierało. Chodź, obejrzymy.
– Jezu. Bądź profesjonalny przez chwilę.
– Dobra. Naturalnie. Prowadź.
Wyszliśmy spod baby, a na dworze świeciło słońce.
– Przelecimy się gdzieś jutro.
– A co z Odessą?
– Spokojnie, będziemy tam za klika dni. Stamtąd i tak czeka nas wodolot do Batumi.
– Super. Zwiedzamy jeszcze? Włazimy do tych pieczar w tej Ławrze?
– Najpierw pojedziemy do hotelu.
– Wiesz co mnie interesuje.
– Wiem kto cię interesuje.
– Coś mi powiesz?
– Na dół idziemy. Nad rzekę i do mostu.
Do hotelu dojechaliśmy naziemnym metrem, a hotel był zwykłym blokiem, na którego ostatnim piętrze znajdowały się mieszkania przerobione na pokoje. Na dole, na klatce schodowej stał fortepian i było strasznie naszczane. Kobieta dała nam klucz od dwójki i zabrała jakąś sumę hrywien od Mirona. Za dwa dni. Usiedliśmy z piwem przy ceracie. Uchyliłem okno.
– Dobra, znaj moją cierpliwość…
– Nie, kurwa, nie będę ci tego jeszcze raz opowiadał…
– Od początku. Szukamy Julii. Mojej miłości z dzieciństwa.
– Kurwa, jakiej miłości. Skąd ja mam wiedzieć takie rzeczy o twojej sąsiadce?
– A z kim się bawiłem w *Dempsey i Makepeace na tropie*?
– Z Julią z ósmego.
– Co z nią?
– Nie wiem. Zniknęła.

– No właśnie. To teraz słucham uważnie.

– Słuchaj.

– Ewa ci się podoba od dawna, więc się nie wpierdalać mam. I co dalej?

– Ja tak mówiłem?

– Dalej mów. Ojciec. To twój ojciec czy nie?

– No kurwa, znowu? Wiesz, że go nienawidzę. Zawsze chciał mieć syna jak ty. Zjebał mi życie. To nie jest mój ojciec...

– Bardzo dramatycznie. Brawo.

– Kurwa, ja trzy lata leczyłem się z depresji. Teraz jadę się oderwać od tego, odciąć pępowinę, a ty mi każesz cały czas pierdolić o moim ojcu. Jutro będziemy latać śmigłowcem.

Miron poryczał się zaraz. Zawsze był histeryczny. Łkał coś, że jestem nadczłowiekiem, że powinienem ratować świat, że są ludzie inni, którzy mają takie moce, że jutro poznamy kolejnego, że przyszedł czas wreszcie, żebym go nie odrzucał, że on nas poprowadzi wszystkich, że ojciec jego był w brygadzie, która maskowała skutki wybuchu w Czarnobylu, że było mu trudno, że ojca nie było w domu, że bardziej mi się poświęcał i innym dzieciom jakimś, niż synowi własnemu. Że po 89 roku wszystko się rozpadło. Akta zaginęły, potem nikt nie był w stanie się dogrzebać do przyczyn dziwnych przypadków, że tylko stary jego i kilka osób wiedziało, co i jak. A że dopiero teraz, po wypadku w Pradze, ktoś się dogrzebał do dokumentów i się zaczęło. I Miron musiał wyjść z uśpienia. I przestał brać leki, a to nagle spadło na niego. I teraz chce się wyluzować.

– No dobra, ale finalnie szukamy Julii, tak? O co nam chodzi?

– Nam?

– Nam.

– Szukamy prawdy. Nosimy w sobie lęki naszego pokolenia. Jesteśmy wybrani.

I wtedy poczułem, że ja wcale nie jestem chory. Postanowiłem się wyluzować. Rano czekała nas wycieczka śmigłowcem. Ekstra.

Rozdział 11 – Rosyjski dzięcioł

Przy goleniu stwierdziłem, że nie może być przecież tak, że nie potrafię utrzymać dłuższych relacji z kobietami, dlatego że wybuchła elektrownia atomowa. Bo przecież wszystko nie jest takie proste, co nie? Ciągle gdzieś coś wybucha. Na przykład Miron od dziecka lubi różne eksplozje.

Miron przepędził mnie z łazienki, wzięliśmy paszporty, resztę zostawiliśmy w pokoju i zaraz byliśmy już w metrze, które tym razem wjechało pod ziemię. Kiedy wychodziliśmy na powierzchnię, jechaliśmy chyba z sześć razy tyle, co jedzie się schodami przy Trasie WZ.

Na górze czekał na nas Ukrainiec z wczoraj, wsiedliśmy do jego łady i ruszyliśmy na lotnisko. Po drodze prawie się nie odzywaliśmy, ja wyglądałem głównie, ale gdzieś w połowie drogi zapytał mnie, co ja potrafię.

Miał tak koło trzydziestu paru lat. W sumie podobny był do Mirona. Na początku nie zrozumiałem, o co pyta, ale za trzecim razem już udało mi się załapać. Kazał mówić mi po polsku, więc powiedziałem, że umiem latać, a on, że jego Wiktor miał to samo, ale od czasu jak wrócił na pole ojca, obok elektrowni w Prypeci, wszystko przeszło. Uprawia tylko kukurydzę i czasem jedzie do Czarnobyla na wódkę.

Trochę mnie tym przestraszył, w sumie nigdy nie leciałem helikopterem. Kiedy wysiedliśmy na płatnym parkingu przed lotniskiem, czekała na nas już Tania, dwudziestoletnia dziewczyna, studentka filologii polskiej.

– Cześć, Tania.

– Cześć, Julek.

– Cześć, Miron.

– Zaraz lecimy. Chodźcie.

Ukrainiec z wczoraj, nie zauważyłem kiedy, zniknął i pojawił się dopiero w śmigłowcu. To był duży, wojskowy helikopter. Tania usiadła obok pilota, a my z tyłu obok Ukraińca z wczoraj.

– Będę rzygał – wydusiłem, kiedy helikopter zaczął się wznosić.

– W czasie akcji ratunkowej było tak, że jeden helikopter zaczepił o druty wysokiego napięcia i cała załoga zginęła – Miron był dumny ze swojej wiedzy.

Po godzinie widać było już pierwszy checkpoint, ale za nim okolica w zasadzie się nie różniła od tej poza strefą. W pewnym momencie, zobaczyłem je. Wielkie, olbrzymie radary. Takie same, tylko mniejsze były obok Saskiej Kępy. Na prawo od radarów widać było elektrownię, a za nią miasto Prypeć.

Czarnobyl był właśnie pod nami. Na rynku widać było kilku meneli, którzy rozpijali flaszkę. Pod sklepem siedziało kilku młodych chłopaków.

Jak po wylądowaniu, opowiadał Ukrainiec z wczoraj, w strefie zamkniętej codziennie jest około setki turystów. Ci bogatsi – dodał – latają helikopterami.

– Co on gada, Miron?

– W strefie zamkniętej codziennie jest około setki turystów. Ci bogatsi latają helikopterami.

– Jak to? Przecież tu jest skażony teren?

– Tak – wtrąciła się Tania – ale u nas nie ma wesołych miasteczek i póki się tu bloki nie zawalą, to jedyna atrakcja w tej okolicy. Powoli zaczynamy żyć z turystki. Ja się tu urodziłam…

– A co potrafisz? – zapytałem.

– Ja?

Tania się zaczerwieniła i powiedziała, że jest dopiero na trzecim roku, że wcześniej studiowała pedagogikę, ale nie skończyła i w końcu ja jej przerwałem mówiąc, że dobrze mówi po polsku.

– Dziękuję.

– Proszę.

– Chodźcie – Ukrainiec z wczoraj popędził nas w stronę jakiegoś gospodarstwa.

– Bierz się za nią – szepnąłem do Mirona, ale ten nic nie odpowiedział.

Na polu widać było traktor, a w jego cieniu stał jakiś facet. Im byłem bliżej, tym bardziej nie mogłem uwierzyć, że ten wieśniak, kiedyś latał. Wiktor miał wąsy, wyglądał na cztery dychy co najmniej i śmierdział szlugami. Poczęstowałem się.

Ukrainiec z wczoraj od razu przeszedł do rzeczy, a Tania mi tłumaczyła:

– Jurij pyta Wiktora, jaką on ma siłę, no moc ma jaką i Wiktor odpowiada, że ma wielkie pole i krzepę w ramionach po ojcu.

– Jaja sobie ze mnie robią?

Tania przetłumaczyła i dwaj zaczęli krzyczeć. Do tego wtrącił się Miron, ale Tania ich w końcu uciszyła i zaczęła mi tłumaczyć.

– Wiktor i Jurij mówią, że Polacy nie umieją docenić tego, co mają. U nas bieda, a u was wszystko jest, ale tylko narzekacie.

– Zapytaj ich o wybuch.

Tania zapytała, a oni zaczęli się znów przekrzykiwać. Wiktor pokazywał coś w stronę elektrowni, a Ukrainiec z wczoraj – w zupełnie inną.

– Oni mówią, że w wyniku wybuchu zginęło nie tak dużo osób, jak powszechnie, powszechnie się sądzi. 25 kwietnia 1986 personel obsługujący reaktor czwarty w elektrowni jądrowej w Czarnobylu prowadził przygotowania do bardzo niebezpiecznego testu, który miał zostać przeprowadzony następnego dnia.

Eksperyment powinien być przeprowadzony dwa lata wcześniej, przed oddaniem reaktora do eksploatacji. Jednak wówczas jego wykonanie zagrażało przedplanowemu oddaniu reaktora do eksploatacji i odłożono go na później, łamiąc jeden z przepisów eksploatacji reaktorów.

Konieczność przeprowadzenia eksperymentu wynikła ze zmian w projekcie, które nie zostały wcześniej przetestowane.

(nie słuchałem jej prawie)

Personel elektrowni nie był wystarczająco poinformowany o tych wadach reaktora i ich skutkach. Reaktor miał zostać odłączony od sieci 25 kwietnia 1986 r. Dzienna zmiana pracowników została uprzedzona o planowanym doświadczeniu i zapoznała się z odpowiednimi procedurami. Nad przebiegiem eksperymentu i działaniem nowego systemu regulacji napięcia czuwać miała specjalnie powołana grupa specjalistów w dziedzinie elektryczności pod nadzorem Anatolija Diatłowa.

– Ble, ble, ble.

– W tym samym momencie doszło do awarii w systemie zwanym Okiem Moskwy, który był eksperymentalna bronią zasilaną przez elektrownię. Radar wysłał wiązki do odbiorników znajdujących się w wielu punktach byłego ZSRR i krajów satelickich. Liczba ofiar tej awarii nie jest znana, ale szacuje się, że w wyniku tej awarii doszło do mutacji u około setki osób, które były wtedy w bezpośrednim sąsiedztwie Oka Moskwy lub jego odbiorników. Do dziś nie wiadomo, czy to w ogóle jest prawda, ale turyści lubią takie historie.

Ale wracając do tematu...

– Nie mów.

Kontrowersje budzi szacowana liczba ofiar. Najnowszy raport Komitetu Naukowego ONZ ds. Skutków Promieniowania Atomowego stwierdza, że stu trzydziestu czterech pracowników elektrowni jądrowej i członków ekip ratowniczych było narażonych na działanie bardzo wysokich dawek promieniowania jonizującego, po których rozwinęła się ostra choroba popromienna. Dwudziestu ośmiu z nich zmarło w wyniku napromieniowania, a dwóch od poparzeń. Wielu ludzi biorących udział w akcji zabezpieczenia reaktora zginęło podczas towarzyszących akcji wypadków budowlanych. Najbardziej spektakularnym wypadkiem była uchwycona na filmie katastrofa helikoptera, którego łopatki wirnika zawadziły o liny dźwigu; cała załoga helikoptera zginęła.

Aha, za pamięci. Trudno jednoznacznie stwierdzić, ile jest tak zwanych innych przypadków. Bardzo dziwny przedział promieniowania wywołany przez awarię Oka Moskwy sprawiał, że ludzie poddani jemu dostawali do dziś niezbadanych objawów. Do dziś zresztą nie udało się w warunkach laboratoryjnych odtworzyć tego, co notuje się jako mutacje emocjonalne. Oczywiście to taka legenda, że niektórzy poddani promieniowaniu zyskali moce wręcz nadludzkie. Tak, mówię o telepatii i innych zjawiskach. Bardzo trudno dziś w ogóle dotrzeć do informacji, czym było albo nawet czym jest Oko Moskwy. Być może jest zupełnym przypadkiem, że rzeczy zdarzyły się, jak się zdarzyły. Przepraszam, no ale naprawdę turyści muszą mieć wplecione takie bzdety i oni oczywiście w to wierzą.

– Już?

– Tak.

– Miron, idziemy stąd. Wychodzimy. Pożegnaj się z państwem.

– Ale co? Źle gawariłam?

– Dobrze dosyć, chyba. Musimy iść.

Kiedy ruszyłem w stronę śmigłowca rozległ się ogromny wrzask. Cała czwórka mnie dopadła i siłą doprowadziła do chaty Jurija. Cuchnęło w niej zgnilizną. Posadzili mnie przy stole, Jurij pogrzebał chwilę w szafce i rzucił przede mną plik spiętych gumką zdjęć.

– Co to jest?

– Fotografie jak Wiktor był młody. Kiedy mieszkał w Kijowie, dwa lata po wybuchu.

Na pierwszym zdjęciu widać było budynek podobny do Pałacu Kultury, na następnym jakiś wielki dom towarowy, później hala targowa. Zdjęcia pokazywały budynki i niebo. Spojrzałem pytająco i Jurij zaczął mi po kolei pokazywać jakieś pyłki z obiektywu aparatu i jednocześnie wskazywał na siebie.

– Niech mi nie mówi, że te gówna na niebie, to on w locie, co?

– Tania, tak, eta łon. To on.

– Jakiś dowód? Miron, powiedz coś, kurwa.

– Co mam powiedzieć?

– Zapytaj go czy zna dziewczynę, która znika.

Tania zapytała, Wiktor zaczął krzyczeć, Ukrainiec z wczoraj wyjątkowo się nie odzywał, tylko zaczął coś notować.

– On mówi, że była dziewczyna taka, która chodziła po Prypeci i opowiadała, że będzie wybuch. Ona chodziła i mówiła tak miesiąc przed wybuchem i potem nigdy nikt jej nie widział.

– Jak wyglądała? – czułem się jakbym kogoś przesłuchiwał, ale nie byłem jednak pewny swojej przewagi.

Tania zapytała go, a on zaczął pokazywać, że miała duże cycki, a potem Tania dopowiedziała resztę. Że była czarna taka, piękna. Wyobraziłem sobie Julię z jej blond włosami. Tak ją zapamiętałem.

– Ale jak to chodziła przed wybuchem?

– Ona była z przyszłości.

– To wyjaśnia sprawę. A ile miała lat.

– Tak ze dwadzieścia pięć.

– Imię?

– Nie wie.

– To, po co ja tu jestem?

– On ma jej zdjęcie.

– Co? Niech kurwa daje – Miron nagle się ożywił i na to Ukrainiec z wczoraj zaczął krzyczeć i pokazywać na mnie. Miron przerzucił się na ruski, czy ukraiński i z tego wrzasku rozumiałem tyle, że jak pokażę, że latam, to będzie zdjęcie.

– Ale to nie była Julia? – zapytałem.

Potem zadałem je kilka razy jeszcze, ale nie przestali mnie nie słuchać. Odepchnąłem stojącego w drzwiach Mirona i wybiegłem na podwórko. Potrąciłem jakąś kurę i biegłem. Miron i reszta wybiegli za mną i strasznie wrzeszczeli, żebym się zatrzymał. Co to za ludzie w ogóle? Ja myślałem, że to będzie coś jak Fantastyczna Czwórka albo X-Men, a tu się nie da zrobić z tego klasy integracyjnej nawet. Przewracam się. Wstaję. Wbiegam do lasu. Głosy za mną ucichły. Nikt mnie nie badał licznikiem Geigera. A jeśli ja jestem napromieniowany? Uderzam głową o gałąź. Nie czuję ziemi pod stopami. Czuję w ogóle coraz mniej, ale wiem, że obijam się o drzewa. Przytomnieję ponad lasem. Widzę całą masę zardzewiałych samochodów, czołgów i helikopterów. Są tego setki. Za mną las. Elektrownia dalej. Rzeka jakaś. Miasto widać. Radary są też.

Słyszę strzały. Tuż pode mną na polanie Tania biegnie, a obok niej latają kule. Miron leży, a Ukrainiec z wczoraj trzyma mu nogę na gardle. Obok stoi ten brudas i dziwnie usiłuje podskakiwać. Ukrainiec z wczoraj kieruje pistolet w moją stronę. Składam się do lotu jak Superman i w ciągu minuty ślizgiem ląduję za siatką otaczającą wielkie blokowisko Prypeć.

Rozdział 12 – Obalam Państwo bez Boga

Słyszę ludzi. Zaczynam biec ulicą. Dookoła mnie dżungla a za nią białe, białe bloki. Znów słyszę ludzi. Wbiegam na wielki plac, rozglądam się i w ostatniej chwili startuję tuż przed maską pędzącego autokaru. Ląduję na dachu wysokiego bloku. Złapałem się jakiejś resztki godła Związku Radzieckiego, szarpałem ją na tyle, że zaczęła się chwiać. Kiedy już usiadłem na dachu, patrzyłem jak pięciometrowe godło odłamuje się i spada z trzydziestu metrów.

Leci jak liść, zresztą drzewa są już dosyć żółte. Ludzie wysiadają z autokaru i patrzą, jak logo ZSRR powoduje ogromny huk i wzniecatumany kurzu. Około czterdziestu osób z aparatami. Widzą mnie.

Dobra, kurwa, gdzie jest Miron?

Klatka schodowa jest na zewnątrz. Zbiegam do połowy, aż wyskakuję po prostu i ląduję na podwórku, chyba przedszkola. Za mną słyszę głosy. Wbiegam do budynku. Sale pełne małych łóżek, lalek, kolorowych obrazków, masek przeciwgazowych.

Teraz zwolnijmy i zastanówmy się, o co tu chodzi. Chcieli zapewne mnie porwać. No bo nie Mirona. Teraz trzymają go jako zakładnika. Czyli muszę go uratować.

Do budynku wbiega jakaś masa ludzi. Krzyczą, że chyba gdzieś tu muszę być. Po polsku krzyczą. Wyskakuję przez okno i biegnę kalecząc się o krzaki. Przebiegam przez jakiś punkt usługowy, przeskakuję na zbyt gęstą kępą zarośli, nad jakimś kwadratowym budynkiem, który chyba był domem towarowym i ląduję na białej ścianie. Zarzuca mnie i wskakuję przez okno. Lecę wprost do wielkiego olimpijskiego basenu. Jestem na głębokości dziesięciu metrów. Nade mną trampolina. Wody nie ma. Wbiegam po pochyłym podłożu i dopadam drabinek. Wpadam w jakieś szatnie, korytarze. Odbijam się od jakiegoś ciała.

Leżymy. Ja i dwójka emerytów w dresach. Zaraz jest ich więcej. Wszyscy kierują na mnie latarki. Wrzeszczą coś po szwedzku jakoś. Wycofuję się, wycofuję, krzyk się wzmaga i spadam do niecki basenu.

Kiedy odzyskuję przytomność, emerytka obwiązuje mi głowę bandażem. Pozostałe dziesięć sztuk dziarskich staruszków kiwa ręka na busa, żeby się cofnął w moją stronę. Leżę przed pływalnią.

Kiedy jedziemy, nad nami rozlega się odgłos śmigłowca. Usiłuję dostać się do okna. Jesteśmy już za Miastem Duchów. Śmigłowiec, którym przyleciałem oddala się gdzieś w stronę Ukrainy. Na siedzeniach emeryci czytają jakieś albumy o katastrofie i przeglądają zdjęcia na cyfrówkach. Przez mikrofon ktoś nawija im strasznie rytmicznie i monotonnie. Podnoszę się powoli. Głowa mi pęka, ale się nie daję. Tak mi się wydaje. Tak mi się…

I nagle Julia siedzi na kamieniu i dłubie patykiem w ziemi. Mówię, żeby się uśmiechnęła, ale ona się nie uśmiecha raczej nigdy, chyba żeby ją gilgotać bardzo, ale potem się obraża. Ona mi mówi, że wystarczy, że ja się śmieję bez przerwy i to nie wiadomo z czego. Wszyscy chłopacy tak mają w przedszkolu. Mówię jej, że po wakacjach idziemy już do szkoły i nie wiem, czemu ona idzie do innej niż ja. Prycha dwa razy i mówi, że idzie do szkoły sportowej, a ja to nawet biegać szybko nie potrafię. Że ta cała zabawa w policjantów jest głupia, bo ja nigdy nie złapałbym żadnego złodzieja.

Robi mi się smutno trochę. Obracający się nad nami radar skrzeczy żałośnie. Siedzimy tak cicho zupełnie i Julia w końcu każe mi się schować w krzakach. Nie wiem, co się dzieje, a ona mi pokazuje, że za siatką widać takiego faceta w okularach, który na takich betonowych płytach prowadzi rower z wetkniętą z tyłu listewką. Na żółtym Bobo siedzi mała dziewczynka z ciemnymi włosami. Mówię, że jest ładna i Julia sypie we mnie piachem.

Rowerek się przewraca i dziewczyna zaczyna płakać. Jej tata kuca i zaczyna ją pocieszać. Radar zaczyna skrzeczeć coraz bardziej. Patrzymy, a on obraca się dwa razy szybciej. Julia ma przygotowany patyk, żeby go ostrzelać, a ja jestem zupełnie bezbronny. Radar obraca się coraz szybciej. Dziewczynka ryczy coraz głośniej. Jej tata przestaje ją pocieszać i wpatruje się w urządzenie. Bierze ją zaraz na ręce i biegnie w stronę budynków. Julia mówi, że tu jest wszystko tajne, ale ja patrzę tylko na żółty rower, któremu powoli przestają się kręcić kółka. Julia podnosi się i przedziera się przez krzaki. Próbuję ją dogonić, ale ona przebiega przez mostek za kanałkiem i zaraz znika za hydrofornią. Biegnę za nią co sił, ale już jej nie ma.

Czuję się jakoś dziwnie opuszczony i przestaję się uśmiechać.

Jestem w trumnie. Trumną strasznie trzęsie. Nad grobem ludzie coś gadają po szwedzku. Może to jeszcze kondukt. Wrzucają mnie do dołu. Czy nie znają żadnego innego języka poza swoim własnym? Ludzie. Dziękuję, mówię i dodaję jeszcze parę innych idiotycznych słów. Ledwo stoję na nogach. Światło mnie razi. Babcia daje mi wody. Łykam trochę. Siadam na trawie. Stoimy na jakimś rondzie, pośrodku którego jest tylko wielkie białe jajo, wokoło same lasy.

Dobra, mówię im, że wstaję, podnoszę się i odchodzę nie oglądając się na nic. Szwedzi są bardzo mili i przestają cokolwiek mówić. Za godzinę widzę tablicę, że Kijów jeszcze 90 kilometrów. No, to mnie wkurza i zaczynam nerwowo podskakiwać zupełnie jak ten zapyziały, napromieniowany Mongoł z lasu. Biegnę środkiem jezdni. Początkowo skaczę ledwo na rekord świata, aż wreszcie wzbijam się w powietrze, łagodnym łukiem wyżej, wyżej i wyżej. Kieruję ręce do przodu i lecę naprawdę szybko. Moich szwedzkich wybawicieli zostawiam w tyle i godzinę później widzę najpierw wielki zalew i przedmieścia Kijowa. Czuję się naprawdę fajnie. Kiedy dostrzegam Matkę Ojczyznę, zniżam lot i robię kilka kółek wokół jej głowy.

Czuję się dosyć wolny.

Czuję się dosyć bardziej zdecydowany. Muszę znaleźć nasz hotel. Ląduję na lewej dłoni, trzymającej tarczę z sierpem i młotem. Matka Ojczyzna ma tam taki balkonik, do którego prowadzi umieszczona w dłoni klapa. Przy tarczy jest mnóstwo jakichś nadajników. Palę papierosa. Wieje strasznie i myślę, że w plecaka Mirona znajdę jakieś odpowiedzi. Na co szukam odpowiedzi?

Czego szukam?

Dokąd zmierzam?

Kim jestem? Czy jestem superbohaterem?

Gdzie jest Julia?

Jak znaleźć i uratować Mirona?

Co porabia Ewa? Zerżnąłbym ją w sumie.

Przy papierosie na dłoni Matki Ojczyzny rzeczy są dosyć proste. Ludzie jak mrówki krzątają się wokół wojskowych pojazdów. Dalej jeszcze większe tłumy w Ławrze Peczerskiej.

Czy jestem wyluzowany?

Czy nic mnie nie denerwuje?

Czy czuję się dobrze?

Czy zobaczę Odessę? Czy zobaczę Tbilisi? Czy zobaczę Samarkandę?

Czy Ukrainiec z wczoraj nie dotarł do hotelu przede mną?

Czemu ja, kurwa, nie mam żadnego celu w życiu?

Złapałem się barierki i przeskoczyłem nad nią. Spadłem aż do samej głowy Matki Ojczyzny, po czym wzbiłem się w powietrze.

Piękne miasto.

Kiedy zacząłem szukać naszego hotelu, sprawy zaczęły się komplikować.

Trzeba zejść na ziemię.

Wylądowałem obok linii metra i ruszyłem wzdłuż, aż nie rozpoznałem naszej naziemnej stacji. Jakoś w lewo i po pół godzinie trafiłem na naszą klatkę z fortepianem.

Kiedy wdarłem się do pokoju, doznałem pewnego uspokojenia, ale z drugiej strony miałem dziką chęć rozprucia plecaka Mirona i znalezienia tam odpowiedzi na wszystko. Na coś.

Nic nie było ruszone od rana. Miron był twardy, że nas nie wydał. Strzeliłem się w pysk za tak głupią myśl i wyrzuciłem wszystko z jego plecaka. Ciuchy. Ciuchy. Ciuchy. Ręcznik. Browar. Papier toaletowy. Teczka. W środku kartki z jakiegoś departamentu ministerstwa obrony. Cała teczka miała wielki stempel Tbilisi. Zacząłem czytać:

Departament do spraw „86".

Duga zwany też Okiem Moskwy – instalacja radzieckiego strategicznego radaru pozahoryzontalnego (OTH) pracującego w zakresie fal krótkich, znajdująca się m.in. nieopodal Czarnobyla na Ukrainie w obwodzie kijowskim. Znana wśród krótkofalowców i profesjonalnych użytkowników eteru jako Russian Woodpecker. System ten otrzymał kod NATO Steel Yard. Instalacja służyła do wykrywania potencjalnych nadlatujących nad terytorium ZSRR pocisków balistycznych z głowicami nuklearnymi, jako jeden z ważnych elementów systemu wczesnego ostrzegania przed atakiem na ZSRR.

ZSRR rozpoczął prace nad budową radaru pozahoryzontalnego pod koniec lat pięćdziesiątych dwudziestego wieku. W okolicy Mikołajowa powstał pierwszy, eksperymentalny, radziecki radar pozahoryzontalny. W 1964 roku za jego pomocą wykryto start rakiety z kosmodromu Bajkonur. Decyzję o budowie systemu Duga-2 w Czarnobylu podjęto w 1969 roku. Stacja rozpoczęła pracę w lipcu 1976 roku. Zakończyła pracę 26 kwietnia 1986 o godz. 1:23:40 z powodu zniszczenia urządzeń elektronicznych przez promieniowane jonizujące powstałe w wyniku katastrofy nuklearnej w Elektrowni Atomowej w Czarnobylu. Ostateczne zamknięcie obiektu nastąpiło w sierpniu 1988.

Sygnał emitowany z radaru zakłócał transmisje innych nadajników. Był dobrze słyszalny w Europie. Krótkofalowcy nazwali ten sygnał Rosyjskim Dzięciołem z powodu charakterystycznego rytmu przypominającego stukanie dzięcioła. Pierwszy raz sygnał wykryto 27 marca 1976 w fińskiej stacji monitorującej w Laajasalo – Yleisradio (YLE). Ustalono, że pochodził on z okolic Mikołajowa.

W 1988 amerykańska Federalna Komisja Komunikacji (FCC) kontynuowała badania nad sygnałem „rosyjskiego dzięcioła". Sygnał miał szerokość pasma od 0,02 do 0,8 MHz, nadawany był typowo przez 7 minut. Moc sygnału oszacowano na co najmniej 10 MW EIRP.

Kwestia tzw przypadków zaburzonych
(klauzula tajności ZS672)

– No do kurwy, chuja – powiedziałem do siebie szeptem.

Następny dokument miał właśnie kryptonim ZS672. Zapaliłem, usiadłem na łóżku, czytałem, czytałem i nagle, kiedy zaczynałem się już trząść z nerwów przez to, co wyczytałem dalej, przed oknem pojawił się Wiktor. Sypało się z niego pyłem. Miał otwarte okno i wlazł bez wybijania. Był jakiś większy, bardziej zakurzony, stanął nade mną i dyszał.

No i się zaczęło.

Jurij wyjął z torby flaszkę piołunówki i naprawdę nie mogłem mu odmówić. Kątem oka patrzyłem na czarno-białe zdjęcia Ewy, na fotografie Julii, na całą masę innych nieznanych mi osób. Oprócz zdjęć były jeszcze plany radarów i systemu schronów w Nowej Hucie.

Jurij urżnął się szybko, rzygał za łóżko jak pies i zaraz usnął. Zebrałem graty i wyszedłem. Klatka wciąż pachniała moczem.

Rozdział 13 – Mieszczański niepokój

Jesień już była w zasadzie zimą, pełną deszczu ze śniegiem i latanie nie było taką prostą sprawą. Miałem dobrą sterowność, ale to wszystko było jak jazda na rowerze. Niby nie chlapały kałuże, ale i tak czułem się jak kurier z pizzą.

Ewa zrobiła mi herbatę i poszła ubijać ziemniaki. Od rana rysowałem jakąś analizę biznesową systemu paszportyzacji danych w TP.

– Naprawdę szukasz tej Julii? – pytała co jakiś czas i moje odpowiedzi ani jej nie cieszyły ani nic. Ewa przenosi się w czasie, ale tylko wtedy gdy dopadnie ją taka straszna nostalgia i wtedy u niej sama ona się zaspokaja. Przenosi się w czasie do tych spraw niecodziennych. Pyta, czy cały czas jest ODESSA, czy jest TBILISI, czy jest SAMARKANDA.

– Coś mi nie idzie z tym modelem, a jutro odbiory.

– Mogę jakoś ci pomóc?

– Chodź tu.

– A obiad, pies?

Ruszyłem się i poznosiłem talerze do pokoju. Zjedliśmy, trochę wina, ale ja nie bardzo, bo cała noc przede mną.

– Pozmywam, rób te swoje obwody, czy coś.

– To taki system ewidencji, który musi się zintegrować z systemem CRM, takim, co zarządza relacjami z klientem, wiesz.

– To ja sobie pójdę do łazienki i poczytam, dobrze?

– Przyjdę na buzi.

– Buzi? Czy buzi, buzi, buzi?

– Zmykaj.

– Tylko pracuj, a nie klej tego czołga swojego.

– Proszę cię.

– Proś, proś, może coś uprosisz.

Jak tylko usnęła, wyjąłem farbki humbrola i dokończyłem malować lufę „Tigera". Fajne są takie małe kłamstwa. Nie jestem malarzem, pozostają mi oddziały z Afrika Korps. Ewa wstała o trzeciej, usiadła na kanapie i powiedziała, że nie chce, żebym siedział w takiej nudnej robocie. Że wie, że zarabiam, ale przecież poradzimy sobie. Ale ja mówię, jestem analitykiem, to naprawdę jest fajne.

– No może, masz papierosa?

– Nie palisz.

– Raz. Nikomu nie powiemy.

– Wieczorem mama wpada na kawę?

– Jutro?

– No jutro. Znaczy dziś, w piątek.

– Ale idziemy do Rastra, pamiętasz?

– No, ta.

– Wiem, że nie lubisz, ale to dla mnie ważne jest.

– Wiem. Pójdziemy.

– Dobra. Idę, pa. Widzę, że nici z ruchanka.

– Rano cię dopadnę.

Poszła nie mówiąc nic, ale nie tak, że ze złością. Od początku było widomo, że na siebie lecimy. Nie było łatwo, bo kiedy uwolnili Mirona, trafił na Sobieskiego z jakimś zespołem pourazowym i nie chcieliśmy go dobijać. Odwiedzamy go czasem jako koledzy, a Ewa mówi mu, że tak, tak, będą razem. Pewnie ostatecznie go tym zabije, ale co ja mogę. Nie mam siły go ratować póki co, nie jestem jakoś specjalnie lojalny wobec przyjaciół.

Idę spać. Zasypiam. A kiedy idę po schodach, bo mam zabronione jeździć windą. Idę na ósme, ale piętro niżej stoi na klatce mój tata i pyta, gdzie byłem. Mówię, że bawiłem się z Julią i idę po nią. Ojciec mówi, że już miał mnie szukać, ściska za ramię i wciąga do mieszkania. Niedługo przeprowadzamy się na Saską Kępę i będą tylko dwa piętra. Mówi, że wybuchła jakaś elektrownia i nie mogę wychodzić na dwór. Wszystkie okna są zamknięte. Koledzy bawią się na podwórku. Piszę na kartce z bloku, że jestem HORY, żeby się ze mnie nie śmiali, że nie mogę wychodzić, bo wybuchła jakaś bomba. Tata nie pozwala mi iść do Julii. Dzwoni tylko co chwila do kogoś i mówi w kółko o elektrowni atomowej, żeby nikt nie wychodził. Stoi przy telefonie z butelką piwa i tak dzwoni i dzwoni. Nie cierpię go, bo cały czas śmierdzi piwem. W końcu idzie do siebie i rozpala fajkę. Piwo mu się skończyło i po godzinie idzie do sklepu. Mama wraca z pracy i mówi, że piękna pogoda. Ojciec gada coś o elektrowni atomowej i promieniowaniu, a mama, żeby poszedł do siebie lepiej, bo dziecko straszy. Pytam mamy, czy mogę iść do Julii, ale każe mi siedzieć w pokoju.

- Przyniesiesz mi wody?

– Nie śpisz?

– Mazowszanki.

Julii nie ma już od tygodnia. Widziałem ją ostatni podobno i milicja nie daje mi spokoju. Tata dostaje szału na komisariacie, krzyczy na milicjantów, że jestem dzieckiem i żeby zajęli się swoją robotą, a nie męczeniem mnie. Ja mówię, bawiliśmy się obok radara, radaru i potem ona sobie poszła. Czy ktoś to widział jeszcze, pytają. Ja mówię, że był taki pan z córką na rowerku, ale za płotem tych zakładów całych. Milicjanci się śmieją ze mnie, że tam nie chodzą ludzie z dzieckiem, bo to tajne zakłady. Ale ja mówię, że ja się tam bawię. Czemu? Dlaczego? Czy ojciec mi pozwalał zbliżać się tam? Ja mówię, że nie pytaliśmy się, że zawsze tam najfajniej było się bawić w *Dempsey i Makepeace*. W co? W serial policyjny. Milicjanci nie znają takiego serialu i zaczynają krzyczeć. Tata chce mnie zabrać stamtąd, ale oni wyganiają go z pokoju. Gdzie jest dziewczyna, się pytają. Julia? A kto? Był tam ktoś inny? Dziewczynka na rowerku z tatą? Skąd wiesz, że to był jej tata? Był z nią na rowerze. Śmieją się ze mnie. Chce mi się płakać. Rzucam się do drzwi i wybiegam na korytarz. Łapią mnie zaraz. Mówią, że za wolno biegam. Na korytarzu stoją rodzice Julii. Dzień dobry. Mama Julii płacze, a Tata Julii ją pociesza. Mówi, żeby mnie puścili. Mama Julii mnie łapie za rękę i pyta, gdzie jest Julia. Ja mówię, że zniknęła za hydrofornią. Jaką hydrofornią? Tą przy wysokich, pomarańczowych blokach. Przy jeziorku. Szukałem jej, ale nie znalazłem. Tata mój mnie zabiera sprzed komisariatu i w milczeniu idziemy do domu. Dopiero potem mówi mi, żebym nigdy nie ufał tym skurwysynom i że mam nie używać takiego wyrazu. Mówię, że dobrze tato i idę płakać do swojego pokoju.

– O czym myślisz?

– Śpię.

Mirona posadzili ze mną w ławce. Jest gruby, rudy i nosi okulary. Nie odzywa się nic przez cały tydzień. Ja też z nim nie gadam i na przerwach siedzę z innymi. Wszyscy się z niego śmieją i ze mnie też, bo mnie wychowawczyni nazwała właściwym kolegą, który mu pomoże się zintegrować z klasą. Nie ma nic gorszego niż nazwać tak kogoś.

Na przerwach Miron chodzi wzdłuż korytarzy i nic nie mówi do nikogo. Miron nie chodzi na religię i wf. Nie lubią go nauczycielki, bo widzą jak wychodzi wcześniej przed całą klasą. Miron dużo rysuje w zeszycie. Ładnie rysuje nawet, patrzę sobie kątem oka. Nauczycielki łapią go na tym, biorą do tablicy i zaraz dostaje dwóję. Codziennie jedna dwója.

Miron po dwóch tygodniach przyniósł kilka przezroczystych fiolek. Pierwszą złamał na historii i rzucił pod ławkę dwóch dziewczyn. Nikt nic nie zauważył, ale po kilku minutach wszystkim zaczęło kręcić się w głowach.

Zwolnili nas z lekcji i wtedy pierwszy raz rozmawialiśmy.

Rozdział 14 – Prorodzinnie

Ojciec siedział jeszcze u siebie, walił wino z gwinta, palił fajkę i pisał coś na swoim nowym MacBooku. Cały czas miał ten swój orli nos, tylko trochę posiwiał. Cały pokój był w regałach z książkami, których nigdy nikt nie czytał

– Cześć synu mój – wydusił.

– Cześć stary mój.

– Jak sprawy?

– Chujowo.

– Świetnie, masz gotowe dialogi, widzisz, mógłbyś zacząć pisać powieść. Zawsze ci to mówiłem. A jak wycieczka?

– Świetnie. A powiedz mi, jak było z Julią?

– Ale co, jak było?

– No, kiedy zniknęła.

– No, jak zniknęła? Ta, co nad nami mieszkała?

– No.

– A przestań, co to za ludzie byli. Patologia jakaś, ten jej ojciec, on za komuny siedział na Mysiej.

– Ale ona zniknęła po wybuchu w Czarnobylu. Gadaj ze mną jak z człowiekiem

– Jesteś moim synem.

– Mów do mnie.

– Nie pamiętam. Wyjechała gdzieś chyba, nie wiem. Chyba, nie wiem, no.

– Nie, zniknęła, chodziliśmy na milicję. Pamiętasz?

– Co? Nie pamiętam. A za pamięci, rozwodzimy się z twoją matką.

Matka wołała na obiad. Ojciec oczywiście nie przyszedł, bo się rozwodził, a ja jadłem nawet, bo byłem głodny.

– Jak zjesz, to może byś poszedł mi po zakupy?

– Jak w pracy?

– Mam mnóstwo zamówień. Projektuję bez przerwy.

– To świetnie. A co ty właściwie projektujesz?

– Wnętrza, synku. No ale powiedz, a jak z Paulinką? Tak ją lubię.

– A jak komiksy?

– A już mam dosyć, wiesz?

– Mamo, rozstaliśmy się przed wyjazdem.

– Tak? Tak jak my z tatą teraz. Ale ty nie bądź jak twój ojciec, ja cię proszę, on mi trzydzieści lat zmarnował i sobie też. Kawał debila.

– Ja to wiem od urodzenia prawie, gratuluję odkrycia.

– A jak wycieczka? Z fajnymi ludźmi pojechałeś? Najgorsi to są ci piloci, szkoda gadać. Autokar w porządku chociaż? Poznałeś kogoś? I wiesz co, nie chcę chyba, żebyś się żenił po to, żeby się całe życie tylko rozwodzić, wiesz?

– Mamo, jak to było, jak Julia zniknęła? Gdzie się wynieśli jej starzy?

– Oj, to smutne. Nie pochowali jej, biedne dziecko. Jakby nie umarła. Została dzieckiem jakby.

– Mamo, pytam cię o nią, zostaw mi historie z komiksów. Ona zniknęła, jak bawiła się ze mną.

– Nie, wyście się nie lubili przecież, ale widzisz, że z matki się śmiejesz, a sam wymyślasz historie o znikających ludziach.

– No proszę cię. Przecież codziennie z nią się bawiłem.

– E nie wydaje mi się. To nie było tak. Czas zatarł to, jeszcze jesteś młody. My z twoim ojcem to dopiero nie pamiętamy. Wiesz, nam się zdawało, że będziemy ze sobą całe życie i to się niestety nie sprawdza.

– Czy coś się stało z przeszłością? Lecę, mama.

– Leć synku. To znaczy idź. Wszystko będzie dobrze. Dobrze, że masz jakiś cel, ja widzisz, widzę, że go nie miałam.

I matkę przytuliłem, a ona zaczęła płakać i powiedziała jeszcze kilka razy, że tylko dzięki mnie nie czuje, że zmarnowała życie.

Rozdział 15 – Przebudzenie

I budzę się szósta trzydzieści, żeby jeszcze pobiegać. No i tak biegam. A potem Ewa mi mówi, przy śniadaniu mi to mówi, że chciałaby żebym wiedział.

– Co żebym wiedział?

I mówi, że przeniosła się w czasie specjalnie, żeby mnie zdobyć, że nie planowała tego, że tak jej się przeniosło, że dlatego jest teraz starsza o pół roku za dużo, bo wtedy wylądowała, w Źródełku, czy pamiętam, żeby mnie zdobyć. No, co ma powiedzieć, skoro miała chcicę, że to przecież takie nostalgiczne.

– Nie załapię tego, latanie jest prostsze, a poza tym nie wyspałem się dziś. To przenoszenie się czasie, kiedy po prostu podmienia mi się przeszłość, a ty nie znikasz.

– Załapiesz, zawsze przeniosę się tak, żebyś mi nie uciekł.

– Wiesz, nie mów tak, bo to brzmi tandetnie. Już to robisz, wiem o tym.

– No jesteś mój.

– Ale ja ruszam na poszukiwanie Julii. Wiesz to, wiedziałaś od początku. Wiesz to.

– Ja wiem, ty nie wiesz, że już mi nie odlecisz.

– Burzenie biegu zdarzeń, to jest to? To jest przemoc? Jak mam to nazwać na komisariacie. Jesteś chora?

– Nie ma burzenia biegu zdarzeń. Skąd ci to przyszło do głowy? Zdarzenia biegną, jak biegną. Nigdy nie wiesz, jak rzeczy się zdarzają.

– A ty wiesz?

- Nie będzie Julii i będziemy znać się od dziecka. Chcesz tego?

– Nie zrobisz tak.

– A jeśli?

– No ale ty się przenosisz w przeszłość, a nie przewidujesz przyszłość. Przyszłość zna jakiś gość z Tbilisi i jeszcze gdzieś tam.

– Przestań bredzić o tych wszystkich mutantach. Ja mam tego dosyć, jesteśmy razem teraz i nie będziesz się tym zajmował. Będziemy jeździć razem z koszykiem wiklinowym na zakupy, zimą do Tunezji...

– Ja ucieknę. To znaczy zrobię tak, że mnie rzucisz. Wiesz, że nie umiem budować trwałych związków. Mam na to papiery.

– Jeśli ja zrobię to, co zrobię, będziesz wiedział, że masz brak, ale nie będziesz wiedział już czego. Masz jeszcze kartę i kluczyk, którą zgubiłam u ciebie w mieszkaniu. Wiesz, że to przez to rzeczy się potoczyły, jak się potoczyły?

– Ja tego nie wiedziałem przez lata, jak rzeczy się dzieją, tylko wiem, że oprócz mnie wrobiłaś też mojego kumpla. A on się w tobie kocha. Ciekawe ilu osobom dziennie pierdolisz życie. Co ja gadam w ogóle.

– Ej, ej, sam się wrobił. Nieudany jest, wiesz to. A poza tym to podobno twój przyjaciel. Tak chyba się nie robi. I gdzie jej niby będziesz szukał, co? Tej Julii całej. Co za imię, Boże. Ukrywasz to przede mną, a ja widziałam w szafie spakowany plecak. To jest ta twoja uczciwość? Przyjaciół oszukujesz, mnie oszukujesz. Kim jesteś, żeby mnie oceniać? Zależy mi na tobie, może za bardzo, może zazdrość mnie zżera, co mam zrobić?

– Wychodzę do pracy, wiesz? Plecak sobie rozpakuj, jeśli chcesz mnie szantażować, to rób to po ludzku. Jak można kogoś straszyć przenoszeniem się w czasie?

– Idź już. Wziąłeś kanapki?

– A od czego jest ta karta i kluczyk?

– A kochasz mnie?

– Lecz się.

– Kto to mówi? Gość, który od lat jest na lekach. Jakbyś wiedział, do czego ta karta, to byś nie pytał.

– Co? Rozumiesz sama, co mówisz? Zniknij, weź, proszę.

– To nie ja, to ta mała zdzira, co się bała całego świata…

– Zamknij pysk, ona ma…

Postała chwilę, wyjęła kanapki z lodówki, wyszedłem już bez słowa. Nim dotarłem na przystanek, poczułem, że wydarzenia potoczyły się właśnie tak, jak się potoczyły. Ewa chodziła z ojcem za siatką fabryki. Radar się kręcił i na sekundę zaczął mnie parzyć. Poczułem jak bieg rzeczy się zmienia, radar kręci się szybciej, a Ewa zaczyna mi towarzyszyć od dziecka, chodzimy razem do szkoły, spacerujemy nad jeziorkiem... Rzeczy dzieją się jak się dzieją, tylko że to wszystko działa na mnie zupełnie odwrotnie. Wsiadam do autobusu i jadę do pracy ostatni raz. Całe to przenoszenie się w czasie mnie nie rusza, no bo co z tego, że człowiek na przykład umie latać, jak tkwi zamknięty w pudełku zapałek. Kobiety nie wiedzą, że to działa w dwie strony.

W pracy wyciągam walizkę spod biurka. Plecak w domu jest wypchany starymi kocami. Ewa wygrzebuje je teraz i przestaje wierzyć w swoją władzę nad biegiem zdarzeń. Kupuję bilet na pociąg. Staję przed Warszawą Wschodnią i nie palę, bo rzuciłem. Nad pewnymi rzeczami da się zapanować. Nagle ktoś łapie mnie lekko za ramię, oglądam się i widzę Paulinę.

– Gdzie się wybierasz?

– A co?

– Ale tak turystycznie?

Rozdział 16 – Pociąg numer 86

Paulina wcinała chipsy paprykowe i wyglądała przez okno. Ewa nie wydzwaniała, wystarczyło to, że w przeszłości namówiła Paulinę na filmoznawstwo na Uniwersytecie Jagiellońskim. Nie wiedziałem tylko, czy jestem byłym chłopakiem. Ewa mnie naprawdę doprowadzała do szału. Zastanawiałem się teraz nie tyle, po co mówiłem jej rzeczy, których nie powinienem, ale po co sobie je wmawiałem. Byłem zły, ale siedziałem mocno na ziemi. Czasami myślę, że naprawdę jestem złym człowiekiem. A Paulina była dla mnie przecież dobra, tylko wikłała się w jakieś gry, zamiast mnie kopnąć w dupę, ale teraz w sumie nie wiadomo, czy była w ogóle, bo nie wie, że...

– Czy niesamowite nie jest, że rzeczy się zmieniają w przeszłości, ale nie w mojej?

– Lubię, jak tak mówisz. Nie rozumiem tego, ale lubię.

– Wyobraź sobie, że byliśmy parą. Nie rób takiej miny, byliśmy parą i rozstaliśmy się, ale ktoś, kto potrafi przenosić się w czasie zmienił przeszłość tak, że nie byliśmy razem. Rozumiesz?

– Nie, ale fajnie opowiadasz.

– I pic polega na tym, że teraz, jak tu siedzimy to nie byliśmy nigdy razem. Tylko że jednocześnie ja wiem, że byliśmy. I byliśmy, i nie byliśmy, bo, rozumiesz, na mnie, te zmiany przeszłości nie działają i muszę żyć z tym, że nie byliśmy razem, nawet się nie całowaliśmy, a znam twoje przeróżne szczegóły.

Zaczerwieniła się, a lubiłem, gdy się czerwieni. Mogłem zacząć wszystko od początku. Ja, który nie radzę sobie kompletnie z kobietami miałem szansę na to, ale ja już się odkochałem, a ona od dawna się we mnie podkochuje. Zazdrość Ewy, jej zaborczość mnie przygniata. Nie chcę z nią być, chociaż jej cudowne ciało i taka bezwzględność wciągnęły mnie po uszy. Ale może na tydzień lub dwa. Tylko że na co ja w zasadzie miałem wpływ? Czy jak pocałowałem Paulinę po raz pierwszy, to Ewa maczała już w tym palce? Kurwa, jakie to głupie. Niektórzy ludzie mają naprawdę dziwne cechy.

– Co tak myślisz?

– Oj, schizuję. Masz czasem tak, że czujesz, że nic nie rozumiesz, że to jak rzeczy się zdarzają cię kompletnie przerasta?

– Nie, raczej nie.

– No, a jak byliśmy wtedy w gór...

Spojrzała na mnie, jakby zaczynała rozumieć, że coś ze mną nie tak.

– Idziesz do „Warsu"?

– A gdzie masz akademik?

– Wynajmuję mieszkanie w Hucie.

– Tak?

– Nie byłeś pewnie nigdy, co?

– No nie, a wiesz...

– A ty po co jedziesz do Krakowa, powiesz mi wreszcie?

– No tak, powiem, ale...

– Tak, tak, mieszkam z chłopakiem. Jest piłkarzem Hutnika, pewnie dla ciebie będzie za głupi, więc nie wiem, czy się poznacie. Poza tym on nie lubi strasznie warszawiaków.

– Kopie piłkę?

– Tak, w trzeciej lidze, jest kiepski, ale mnie kocha i codziennie mam kwiaty.

– Czemu się złościsz?

– Bo nie wiem sama, jakoś dziwnie się z tobą czuję.

– Więc jednak...

– Co jednak...

– Jakoś nie mogę powiedzieć ci, ale ja też jadę do Nowej Huty. Mam nawet ze sobą plany.

– E, ja ci pokażę wszystko, tam jest tylko problem, że ulice nie są ani równoległe, ani prostopadłe, jak to opanujesz, to już masz luz.

– No, mam inne plany.

W sumie to jak tak światło padało na nią z odpowiedniej strony, to wyglądała zupełnie ślicznie i miałem ochotę ją pocałować. Jej pocałunki są takie nieśmiałe i delikatne. Takie dziewczęce.

– Ale ty wiesz, że ja potrafię latać?

– Muszę przeczytać o Tarkowskim na zajęcia, przepraszam.

– Jasne, nic się nie stało.

Wyszedłem na korytarz, otworzyłem okno, poczułem pęd i zachciało mi się polecieć. Jak to ogarnąć, że światem sterują sprowadzani do numerka 86. A jak w moim życiu rzeczy się działy? Zbadano, że jedna 86 na drugą ma wpływ znikomy, ale jeśli ma na wszystko wokół, to przecież wcale tak nie jest. To znaczy, że się w ogóle nie wie, jak jest. Moja moc latania to naprawdę małe piwo. Co ja mogę. Do cyrku? A w Nowej Hucie jest gość, który widzi ludzi znikniętych, tylko czy on zobaczy Julię, skoro ona też jest numer 86? I jak go znaleźć? Po czym się ich rozpoznaje? Po czym się mnie rozpoznaje?

– Poproszę bilecik.

Dałem kobiecie bez słowa i dalej wyglądałem przez okno.

– Wie pan, że nie wolno palić?

– Nie palę.

– Nie o to pytam.

Kiedy poszła, wyjąłem dwa sedamy 6 i łyknąłem na raz. Może to ja sam. Może to Ewa. Może bóg, może te leki, może coś jeszcze, ale coś może jednak tym moim życiem steruje. Hej, ja potrafię latać. Dawno tego nie robiłem, ale ja to umiem. Chcesz zobaczyć? Zaczynałem wypowiadać myśli na głos. Ludzie w korytarzu patrzyli się dziwnie i pomyślałem, że oni nie wierzą, że mogę wyskoczyć z pędzącego pociągu i nic mi się nie stanie.

– Wiecie, że mogę teraz wyskoczyć z pociągu?

– Skacz, kurwa – odpowiedział jakiś debil.

Wróciłem zawstydzony do przedziału, zatrzasnąłem drzwi i zabrałem się za czytanie „Wyborczej". Paulina przysypiała. O, właśnie.

Chciałem ją odzyskać, mimo że jej nigdy nie miałem. Takie rzeczy też powodują człowiekiem. Zupełnie to pięknie niezrozumiałe. No tak, sedam zaczął działać.

– Prawda?

– Tak – zaśmiała się.

Nie trzeba mocy niezwykłych, żeby się bez słów rozumieć.

– A brzydka jest ta Huta?

– Ładna. Zielona. Jak Warszawa trochę. Na długo?

– Nie wiem?

– Hm, dobra. Wracam do czytania.

– A co czytasz.

– No o Tarkowskim, no. Nie śmiej się.

– Nie śmieję. A chłopak?

– Oj, czytam. Trochę prosty, no ale mam gdzie mieszkać. Pójdziemy dziś albo jutro na piwo. Jest fajna knajpa Kombinator. Czytam.

Wyszedłem znów, żeby mnie nie korciło do pytań. Ale korciło, bo pytałem, czy to wszystko jest możliwe, że ja umiem latać, a inni przenoszą się w czasie, jeszcze inni widzą rzeczy, których inni nie widzą. No właśnie. A inni tak nie mają. Czy mają gorzej? Łyknąłem tranxenne. Ewa boi się świata, jakim jest, o taka mi przyszła myśl do głowy.

Wróciłem do przedziału i wyciągnąłem teczkę.

Przypadek 86/16

Ewa Wiśniewska. Zmutowana na skutek bliskiego przebywania w pobliżu radaru odbiorczo-nadawczego 86092 w tzw rejonie Gocław Lotnisko.

Funkcja obiektu 86092 nie jest do końca jasna, a dostęp do wiadomości na ten temat, ze względu na obowiązującą poufność, jest ograniczony. Jednak na podstawie wyposażenia pobliskich pomieszczeń, sprzętu technicznego znajdującego się na terenie, a w szczególności relacji osób z obiektem związanych, można z całą pewnością określić, że obiekt pełnił funkcję zapasowego Centrum Radiowo Nadawczego (CRN) i wchodził w skład 2 Korpusu Obrony Przeciwlotniczej. Dowódcą CRN był i jest nadal ojciec Wiśniewskiej, Stefan.

W osobowości 86/16 stwierdza się zaburzenia typu borderline, spowodowane są one zapewne uwarunkowaniami, w jakich się wychowała. Kobieta, o ile dobrze rozpoznano przypadek, potrafi przenosić się w czasie, przez co ma wpływ na przyszłość, jednak trudno to jednoznacznie stwierdzić, gdyż numer 86/16 potrafi jednocześnie przebywać w przeszłości jak i tu i teraz. Nie wiadomo nic o tym, jakoby potrafiła przenosić się w przyszłość. To zjawisko dotyczy jednocześnie numeru 86/47 zaewidencjonowanego u pracownika Instytutu Problemów Techniki Jądrowej w mieście S.

– Także tego – powiedziałem do siebie i zobaczyłem, że pociąg ogłasza się jako ten, co jest już w Krakowie. Szybko.

Rozdział 17 – Miasto bez Boga

Jak dzielnica Warszawy. Poczułem się dobrze. Nic, co by przypominało ten fatalny Kraków. Chłopak Pauliny, który ją odbierał, zupełnie nie przypominał jej poprzedniego gacha, z którym mnie zdradziła bądź nie, a w zasadzie to tego gacha chyba nie miała. Podwiózł mnie do Huty, ale nie podał mi ręki. Miał wsiowego irokeza i rzeczywiście wyglądał jak kiepski piłkarz. Jak się tu nie zgubić? Wysadził mnie na rogu czegoś i czegoś.

Ulice tu nie są ani prostopadłe ani równoległe. Usłyszałem to za plecami i jak się odwróciłem zobaczyłem trabanta i gościa bez zębów, który wysadzał czwórkę turystów:

– Państwo szanowni, tak jak tu sobie stoimy, ja mówię że decyzja o budowie Nowej Huty miała podłoże nie tylko ekonomiczne, ale i polityczne. Pobudki ekonomiczne wynikały z tzw. Planu Sześcioletniego, który zakładał, że warunkiem „budowy podstaw socjalizmu" jest przede wszystkim gwałtowne uprzemysłowienie kraju. Rozwijano więc hutnictwo i przemysł maszynowy, które z kolei umożliwiały rozwój przemysłu zbrojeniowego, niezbędnego w przypadku wybuchu wojny.

Na przełomie 1946 i 1947 Józef Stalin złożył Bolesławowi Bierutowi „propozycję nie do odrzucenia", czyli zlokalizowanie w Polsce wielkiego kombinatu hutniczego. Tak więc powołano specjalny oddział, który miał się zająć ustaleniem odpowiedniej lokalizacji, przy czym Rosjanie prowadzili również poszukiwania na własną rękę. Rozważano trzy możliwości: teren między Gliwicami a Pyskowicami, jednak tereny te należały kiedyś do Niemiec i bano się utraty ich podczas ewentualnego wybuchu wojny. Drugim był teren koło Skawiny, ale wiatry zachodnie spychałyby zanieczyszczenia na Kraków. Ostatnią lokalizacją były okolice kopca Wandy. Pojawił się także pomysł umieszczenia Huty nad morzem u ujścia Wisły, ale słona woda nie nadawałaby się do zastosowania w hutnictwie. W sumie, ostateczna lokalizacja, zatwierdzona w dniu 1 lutego 1949, mówiła o okolicach Mogiły i Pleszowa. Były to obszary z żyznymi gruntami; tego typu inwestycje planuje się jednak na nieużytkach. No właśnie tak, tak jak tu sobie stoimy.

Budowa nowego miasta, tak jak tu sobie stoimy, spowodowała osiedlanie się głównie mieszkańców wsi, którzy, tak jak tu sobie stoimy, przyjechali tu w nadziei na wyższe zarobki. Większość z nich nie miała pojęcia o życiu w mieście, dlatego też zdarzały się przypadki hodowli drobiu czy świń w łazienkach lub spacerowania w szlafroku i papilotach po osiedlu. Cyganie, zmuszani do osiedlenia na osiedlach Willowym i Wandy i pracowania na rzecz Huty, rozpalali w mieszkaniach ogniska. Nową społeczność budowała biedota ze wsi i kryminaliści przymusowo ściągnięci na plac budowy. Związki robotników ze starym miastem były słabe i dodatkowo utrudnione przez złą komunikację, ograniczały się jedynie do niedzielnych wyjazdów na mszę świętą czy na spacery, połączone często ze zwiedzaniem Wawelu. Kobiety jeździły na zakupy do Krakowa, chociaż Nowa Huta była znacznie lepiej zaopatrzona. Istniało paradoksalne przeświadczenie, że w mieście można kupić więcej.

Zadzwoniła Ewa.

– No?

– Co tam?

– Nie wiem, jak można tak mówić, tak się nie da. Mówić i siebie nie słyszeć.

– Potrafisz to.

– Mówię o przewodniku. Czego chcesz?

– Wiesz, czego. Właśnie zastanawiam się od czego zacząć.

– Zacznij od pójścia sobie na spacer. Zrelaksuj się.

– Spaceruję. Jestem w Łazienkach.

– Wywarłaś na mnie duży wstrząs tą informacją.

– Co robisz?

– Zwiedzam.
– Co?

Rozłączyłem się, a ona już nie zadzwoniła.

Tak jak tu sobie stoimy, ja mówię, że architektura sakralna pojawiła się dość późno. Wybudowano kościół Matki Boskiej Częstochowskiej na osiedlu Szklane Domy. W 1998 prof. Witold Cęckiewicz zaprojektował kościół Matki Bożej Wspomożenia Wiernych. Od tego samego roku postępuje budowa kościoła Najświętszego Serca Pana Jezusa na os. Teatralnym. Oba budynki sakralne należą do Kościoła Rzymskokatolickiego. Prócz parafii rzymskokatolickich na terenie Nowej Huty działalność duszpasterską prowadzi także Kościół Zielonoświątkowy, protestancka wspólnota o charakterze ewangelicznym. Nie posiada ona jednak własnego obiektu sakralnego. Ale tak ja tu sobie stoimy, ja mówię, że to tylko takie małe turystyczne liźnięcie, a to, co jest pod nami, wiele metrów pod nami, prawdziwe podziemne miasto, jest dopiero ciekawe, zapraszam do nyski i pdędem na Wawel.

Zaklaskał na grupę z Warszawy, a ja ruszyłem w stronę, czegoś, co przypominało Plac Konstytucji. Nie wiedziałem, od czego i od kogo zacząć.

Usiadłem na ławce pod restauracją Stylowa i wyciągnąłem dokumenty. Na zszarzałej teczce niezmienne *„86"* oraz klauzula, *że* tajne.

Przypadek 86/74

Romuald Stępień. Zmutowany na skutek przebywania w pobliżu urządzenia odbiorczo nadawczego składowanego w sztabie atomowej kwatery dowodzenia w pobliżu Rejonu A1. Nie wiadomo do dziś, co tam robił, ale prawdopodobnie miał romans z dyspozytorką, która w momencie eksplozji była w toalecie.

Kompleks numer 7215 w Rejonie A1 składa się z 3 obiektów budowlanych, połączonych podziemnym korytarzem:

*·Nr 1 - trzykondygnacyjny, podziemny schron dowodzenia, zamaskowany na powierzchni kompleksem garaży, o powierzchni około 600 m², *

·Nr 2 - dwukondygnacyjny, podpiwniczony budynek, na powierzchni znany powszechnie jako szwalnia kombinezonów na potrzeby kombinatu ,

·Nr 3 - podziemna hala-schron o powierzchni około 2000 m².

Obiekt nr 1 jest schronem odpornym na ładunki nuklearne, zaopatrzonym we własne agregaty prądotwórcze (2 silniki DSRG z 1962 roku). Oprócz tego posiada niezależną hydrofornię, wygłuszoną salę taktyczną (poziom -2), pompy (poziom -3), warsztaty i inne. Obiekt nr 2 posiada w podziemiu pompy i hydrofory i połączony jest korytarzami z sąsiednimi obiektami. Obiekt nr 3 to wielka podziemna hala, nigdy nie ukończona (nad dachem hali sterczą wysoko kominy wentylacyjne, a dach nie jest przykryty piachem). Wszystkie podziemne obiekty zaopatrzone są w czerpnie powietrza, które widoczne są na powierzchni w okolicach Rejonu A1.

Stępień jest spawaczem wysokościowym w Hucie im. Lenina. Urodzony w roku 72. Ojciec jego był budowniczym miasta, pił, bił swoją żonę, zmarł na marskość wątroby. W wieku dwudziestu lat objawiło mu się schorzenie widzenia tego, czego inni nie widzą. Koledzy z pracy mówią o nim, że jest skryty, ale jak już coś powie, to kierownik nawet ma szacunek.

Niżej był dopisek długopisem, że Stępień jest dziwny, bo mało pije i prawdopodobnie jest homoseksualistą. Nigdy nie zdradza swojej starej.

Rozdział 18 – Osiedle Słoneczne

Trafiłem tam już raczej nocą. Paulina spała, a Michał, ten jej chłopak pił piwo przed telewizorem.

– Siadaj. Piwa? Chodź, leci *X-Men II*.

– Poproszę.

– Co?

– Piwa.

– Na dole masz sklep, na lewo, Promilek się nazywa, nocny, taka budka.

– Mogę zapalić?

– Na balkonie.

– Ok.

– Albo w sumie nie pal. Wiesz, że cię nie lubię i robię to tylko, bo mnie Paula prosiła.

– Paula?

– Moja dziewczyna.

– Paula?

– Koleś, kurwa.

– Ok. Wiem, o kogo chodzi. Gdzie mogę spać?

– W kuchni masz materac. Ręcznik w łazience.

Długo nie umiałem włączyć piecyka gazowego. W końcu spaliłem sobie prawą rękę, ale ciepła woda poleciała. Zastanawiałem się, czy ona naprawdę na niego leci, czy potrzebuje gdzieś mieszkać. Byłem zazdrosny.

– Kończysz już? – usłyszałem zza drzwi.

– Co kończę?

– Gaz? Wiesz, co to jest gaz? Ciepła woda.

– Trzy minuty.

– Ale gaz. Wy z Warszawy panoszycie się wszędzie.

– Twoja dziewczyna jest z Warszawy.

– Odpierdol się od niej, słyszysz?

– Mogę umyć te, kurwa, zęby? Jak tak pierdolę, to mi trudno.

– Ty, uważaj. Jesteś w Hucie.

– Mhm.

Wyszedłem i położyłem się na materacu, na którym już ułożył się pies. Z psem, z nerwami, bez piwa nie mogłem zasnąć. Po ciemku zacząłem szukać sedamu w plecaku. Światło zapaliło się po minucie.

– Śpimy, wiesz?

– Nie śpisz.

– Nie pasuje ci, to won.

– Pasuje, co to za rasa?

– Śmiejesz się z Rysia?

– Chłopie, szukam leków nasennych, chwila, już śpię. Każesz mi spać z mopsem jakimś, to pozwól mi to przeżyć chociaż.

– Dobrej nocy – powiedział, zgasił mi światło i musiał przyjebać zaraz o coś palcem u nogi.

Nazbierałem śliny, łyknąłem tabletkę i ułożyłem się jak najdalej od Rysia, który zaraz przytulił się do mnie. Rano w Nowej Hucie jest jeszcze ciemno. Michał stał nade mną i robił śniadanie. Fiutek Rysia był na wierzchu i dotykał mojego policzka. Zrobił kanapki i zaniósł do pokoju. Z rozmowy usłyszałem tylko, że ja dzisiaj zmywam. Czas był na ewakuację. Kiedy się przebierałem, wszedł Michał z talerzami i stwierdził, że już chyba wystarczająco mi pomógł.

– Tak, dziękuję.

Kiedy wychodziłem Paulina zaczęła robić awanturę. Wyglądało to na małżeńską kłótnię, więc fajnie by było posłuchać, ale otworzyłem drzwi, wyszedłem i zamknąłem.

Zaraz zadzwoniła, ale nie odebrałem. Nie wiedziałem, co sobie łyknąć na poprawę humoru. Szedłem jakąś zalaną deszczem ulicą, patrzyłem na budynki, który każdy niby taki sam, ale inny, aż zobaczyłem restaurację Jubilatka. Obok było coś, co przypominało świątynię egipską, a to było kiedyś kino. Usiadłem i zamówiłem piwo.

– Tak rano? – spytała kelnerka, lat pięćdziesiąt trzy.

– A wie pani, ja tak turystycznie. Urlop mam, nie?

– Tyskie?

– Poproszę. I popielniczkę.

– Płaci pan teraz?

– Nie, jeszcze posiedzę, nigdzie nie uciekam.

Nim zdążyłem dopić trzecie piwo, miałem już kolegę Gabrysia, który opowiadał, że jest jak ten Żyd, co nie pamięta jego imienia, ale że jak upadnie na dupę, to zawsze rozbije sobie nos. Pokazał mi dziurę po postrzale w brzuchu i ranę po tasaku na plecach. Tatuaż wystawał mu na lewy kciuk. Nie musiałem za niego płacić, a on mi na siłę nie stawiał. Z piątym piwem wybiło południe, a on już wiedział dokładnie, jaki jest mój plan i kazał mi wierzyć, że w ciągu dwóch dni znajdzie rozwiązanie, dał mi swój numer, kazał dzwonić o tej samej porze i poleciał, bo miał jakieś telefony komuś sprzedać, czy coś. Byłem nieco pijany. Na dworze zrobiło się ciepło i ruszyłem na niechciany spacer w stronę przedmieścia Miasta Nowa Huta.

Osiedla zewnętrzne przypominały bloki mojej babci i poczułem się tu zupełnie dobrze. Słońce świeciło i usiadłem na środku czegoś w rodzaju rynku małego miasteczka. Trzeźwiałem tak, ale za godzinę brak alkoholu zaczął mi szkodzić i sięgnąłem po leki. Wyłowiłem akurat xanax i łyknąłem dwa. I zaraz zapadłem się i zacząłem myśleć o tym, że dobrze mi było z Pauliną, że nie wiem, czemu ja to wszystko spieprzyłem. To wszystko, co się nie zdarzyło.

Zahaczyłem potem o jakąś wielką świątynię cystersów, ale nic mnie w niej jakoś nie poruszyło.

Wróciłem w okolicę Słonecznego i tak kręciłem się jak kretyn od baru do baru. W końcu wylądowałem w lokalu Prezydent, gdzie na ścianach wisiały wypchane ryby, a pod sufitem ptaki. Jeden gość, który jeździ na motorze, a syn jego kolegi, czy kolega jego syn,a zabił się właśnie wpadając pod kamaza i potrzeba mu było co chwila dwa złote do piwa. Oprócz tego twierdził, że Józef Piłsudski to chuj, bo co on dla Huty zrobił. No co?

Czekałem, piłem, czekałem, nie słuchałem, czekałem, aż będę mógł zadzwonić do Gabrysia i on wszystko będzie już wiedział albo czekałem na to, że zadzwoni do mnie Paulina, ale telefon był od Ewy.

– Dobrze się bawisz?

– Nie.

– Słyszę po twoim głosie. Kiedy wracasz?

– Nie wiem, niedługo.

– Chcę żebyś wiedział, że ci wybaczam. Że kocham cię i rozumiem, że to dla ciebie ważne.

Tu nie słyszałem dalszego ciągu, bo harlejowiec wznosił toast za Franciszka Józefa, który podobno dla Huty zrobił więcej niż Bierut.

– Co mówisz?

– Jezu, ale tam głośno. Rano mnie odbierz z dworca, dobra? Nie wiem, jak trafić do tej Huty całej.

– Co?

– Będę koło jedenastej. Kocham cię.

– Co?

– Jezu nie słyszę cię, dojadę to się zdzwonimy.

– Co?

Rozdział 19 – Czterdzieści osiem godzin

Obok Ewy stał Miron. Wychylałem się zza dworcowego filaru, usiłowali do mnie dzwonić, ale miałem wyłączony telefon. W końcu, po konsultacji z jakąś babcią poszli w stronę postoju taksówek. Pojechałem zaraz za nimi, zgubili się gdzieś na trasie, a ja podjechałem pod Jubilatkę.

– Tak rano? – spytała pani Basia.

– A mówiłem pani, ja tak turystycznie. Urlop mam.

– Tyskie?

– Poproszę. I popielniczkę.

– Płaci pan teraz?

– Nie, jeszcze posiedzę, nigdzie nie uciekam.

– Pan młody. I ładny, ale nie stąd?

– Nie, jestem z Warszawy.

Pani Basia poprosiła, żebym głośno tego nie mówił i poszła po piwo. Nim doniosła, w drzwich pojawiła się Ewa z Mironem. Nie wierzyłem. Nie.

– O, Jezu, cześć.

– Miałeś, kocie, czekać na nas. Polecili nam tę klimatyczną knajpę.

– Co dla państwa? – zapytała pani Basia, przynosząc mi piwo.

– Dwa piwa dla nas.

– Siadajcie.

– Właśnie to robimy – poiedział Miron – ale muszę do kibla.

– Na lewo tam i złotówkę kosztuje.

Kiedy poszedł Ewa powiedziała: Przepraszam cię, kotek. Musimy udawać, że nie jesteśmy razem. Wiesz, że dopiero co wyszedł.

– Wiem, rozumiem, kapuję, jasne.

– Wieczorem umówiłam się z Pauliną, ma nam pokazać fajną knajpkę jak na Kazimierzu. Gdzieś tu w Hucie. W ogóle fajna ta Huta, zielona tak, szeroka, przyjazna, bo ty to nie lubisz Krakowa, co?

– Nienawidzę. Banda pedałów tu jest gorsza niż w Warszawie.

Miron wrócił, usiadł i dorwał się do piwa. Ewa poszła się odświeżyć po podróży.

– Przyjechaliśmy cię oderwać od tego – stwierdził, kiedy wypił – Ewa mówi, że się paranoicznie wkręciłeś w tę Julię.

– Kurwa, kto mnie w to wkręcił? Tyle lat miałem spokój.

– To czas go odnaleźć znów. Czemu niby ona ma tu być?

– W Nowej Hucie?

– Gdziekolwiek. Że tu mieszka od dwudziestu lat, jak sobie zniknęła? Rozumujesz jeszcze jakoś logicznie?

– Dali ci leki jakieś?

– Nie zbywaj mnie.

– Nie zbywam, nie poznaję. A. Acha. A jak Ewa?

– No powoli, nic nie było póki co.

– Nie ruchałeś jej?

– Kurwa, wróciłbyś do tej Pauliny, przecież ona na ciebie wciąż leci.

– Co? – podskoczyłem – Jak to wciąż? Przecież my nie byliśmy razem.

– Nie rozśmieszaj mnie.

– Powtórz to.

– No przecież byliście razem, wszyscy to wiemy, no ona, znaczy nie wie.

– Co?

– To.

Pobiegłem do kibla.

– Tam zajęte – krzyknęła babcia klozetowa.

– Ewa! – walnąłem w kabinę.

-Sikam, Jezu.

– Czemu ty mu to zostawiłaś? Czemu on się w tobie kocha?

– Jak to, czemu?

– No bo to ty go uwiodłaś na jakiejś imprezie i on od tego czasu myśli, że coś jest między wami.

– No brawo.

– Otwórz!

– Mam dupę gołą.

– Widziałem ją, ale chcę zobaczyć, jak kłamiesz.

– O co ci chodzi?

– O to, że gdybyś mogła, to byś na tamtą imprezę nie poszła.

– I nie poszłam.

– To czemu on się w tobie kocha? Czemu cię to nie dziwi? Czemu na niego nie działa?

Babcia klozetowa wezwała dwie barmanki, które zaczęły mnie szarpać i wyciągać do sali.

– Wyjdę, kurwa, sam – warknąłem.

Puściły mnie i kazały mi wyjść i nie wracać.

Minąłem Mirona, powiedziałem, że muszę załatwić coś i że do wieczora. Kiedy zniknąłem za rogiem, przyspieszyłem, a zaraz pobiegłem do Hotelu Lipsk, gdzie zamieszkałem. Teczka. Teczka. Teczka. Za dużo tych papierów, ale znalazłem. Jest.

86/00

Miron Kozłowski. Przypadek szczególny. Niedodefiniowany kompletnie, trudno przewidzieć jakie skutki wywołała u niego eksplozja.

Sądzi się, że przebywał wtedy wraz z ojcem na poligonie w okolicach miejscowości Gori w Gruzji. Nie wiadomo dokładnie, co tam robił i jakie urządzenia wywołały u niego mutację.

Jest też bardziej prawdopodobna wersja, że promieniowanie ściągnął na niego masz radiowy w Gąbinie, który w istocie był stacją pośrednią radarów pozahoryzontalnych. Wraz z zawaleniem się konstrukcji szanse na rozwikłanie tej zagadki zmalały do zera.

Od dziecka miewa stany depresyjne. Ma bardzo niskie poczucie wartości. Przynajmniej siedem razy próbował popełnić samobójstwo, co zawsze kończyło się niepowodzeniem. Jedyny przypadek 86, który jak dotąd objawia oznaki nieśmiertelności...

Wyłuskałem chyba z pięć sedamów 6, zrzuciłem teczkę na podłogę i nim zdążyłem zebrać myśli, zasnąłem.

Ewa i Paulina wysłały mi siedem sms-ów, że czekają już w tej knajpie i co się dzieje ze mną. Poszedłem pod prysznic. Byłem otępiały.

Wyszedłem na dwór. Padał deszcz. Schowałem się pod drzewem i zadzwoniłem do Gabrysia.

– Masz coś?

– Nowego HTC Hero, bardzo tanio.

– Serio pytam.

– Mam.

– Gdzie się spotkamy?

– Wiesz, gdzie jest Kombinator?

– Nie.

– Już. Gdzie jesteś.

– Nie, nie zgadzam się.

– Leje, nie ruszam się stąd, więc masz dwie opcje: albo przyjdziesz tu i dowiesz się tego, czego się dowiesz albo nie przyjdziesz.

– Dobra, gdzie?

Dał mi telefon na jakąś tanią taryfę, choć to było dziesięć minut piechotą. Przeciskając się przez tłum knajpy, która przypominała trochę Jadłodajnię Filozoficzną, widziałem ich przy stoliku z lewej, ale oni mnie nie. Gabryś siedział przy barze.

– Dzień dobry – powiedziałem ładnej barmance.

– Co dla ciebie?

– Piwo.

– Tyskie?

– Ok.

– No i co – Gabryś podniósł nawalony łeb – bierzesz tego HTC?

– Do rzeczy.

– Sześć złotych.

– Proszę.

– Nie masz złotówki?

– Reszta dla pani.

– Żonata – szepnął Gabryś – zaraz pogadamy, tylko skończę gadać z Bzykiem.

Rzeczywiście obok siedział jakiś gość nad herbatą i co jakiś czas wymieniali z Gabrysiem jakieś uwagi. Z rozmowy wynikało, że Bzyk jest wokalistą jakiejś znanej kapeli i popsuł mu się laptop. Kiedy stwierdził, że idzie do siebie i poszedł, Gabryś zamilkł. Nie zauważyłem, że z lewej strony baru stoi Paulina.

– Przepraszam cię za niego.

– Nie ma sprawy. Kochasz go?

– Oj, przestań i chodź do nas. Złościsz się?

– Muszę coś załatwić, potem przyjdę.

– Ok, wracam i czekam na ciebie.

– Gabryś, do rzeczy - warknąłem, kiedy poszła.

– Jutro o dziesiątej spotkasz gościa. Zadzwonię rano.

– No to lecę do znajomych.

Reszta wieczoru upływała na wybijaniu mi z głowy poszukiwania jakiejś tam Julii, zresztą jedynie Miron i Ewa byli dokładnie zorientowani, w czym rzecz. Gach Pauliny siedział raczej cicho i kiedy schodziłem do ubikacji, czułem, że idzie za mną. Włażę do kabiny. Sikam. Spuszczam wodę. Otwieram i gach się na mnie rzuca. Uderza mnie z bani i wpadamy na kibel. Okłada mnie, jak się da, ale nagle pojawia się Gabryś, łapie go za włosy, wyciąga do umywalni (ja siedzę na kiblu) i rzuca nim o ścianę. Piłkarz się osuwa, a Gabryś mówi mi, że go tu nie było. Podnoszę się powoli, póki co nie mam za wielu śladów, gach leży nieprzytomny przy umywalce. Wychodzę. Żegnam się z pozostałymi i wychodzę na dobre. Jest jeszcze wcześnie. Trzeba gdzieś się dobić.

Paulina znalazła mnie w Mozaice.

– Czemu to zrobiłeś?

– On zaczął.

– Wierzę, ale czemu?

– Napijesz się ze mną?

– Tak. Czemu myśmy się jakoś nie, no wiesz...

– Nie wiesz, jak rzeczy się w życiu zdarzają, no.

– Nie pieprz. Szukasz jakiejś pierdolniętej laski, a ja się kocham w tobie od lat.

– Jesteś pijana.

– Ty też. Wódkę – powiedziała do barmanki.

– Pięćdziesiąt?

– Sto.

– Ja też.

Całowaliśmy się tak, że wszystkie chłopy zamiast na mecz, gapiły się na nas. Jak strąciliśmy serwetnik, barmanka nie wytrzymała i zapytała, czy coś jeszcze ma podać.

– No żebyśmy śmierdzieli tak samo – powiedziała Paulina?

– Sto?

– Dwa tyskie.

Znów chwilę się lizaliśmy, ale piwo na stole nam przeszkodziło.

– Daj papierosa.

– A ty dziewczyno rzuciłaś.

– Ja? Kiedy niby?

– A nie, przepraszam – dawno nie ucieszyłem się tak ze swojej pomyłki.

– Masz oczy jakbyś miał się całować pierwszy raz w życiu...

– Yyyy – przypaliłem jej.

– Nie, nie, ale wcale nie, zupełnie jakbyś znał mnie na wylot. O Jezu, jestem pijana, co ja gadam.

– No mów do mnie.

– Ale masz głos.

– Jaki? Zawsze mam taki.

– Nie.

– Nie?

– Nie. To znaczy, chodźmy.

Rozdział 19 – Prawie jak w piekle

Kac męczył mnie potwornie. Nie pamiętałem za wiele. Gabryś dzwonił siedem razy. Miałem pięć minut, żeby znaleźć się na osiedlu Centrum A. Weszliśmy do jakiejś klatki schodowej, zeszliśmy do piwnicy i znaleźliśmy się w labiryncie korytarzy, które Gabryś oświetlał tylko zapalniczką. Kazał iść mi dalej, a sam został w małym pomieszczeniu. Brnąłem przez korytarzyk, przelazłem przez jakieś drzwi i nim się zorientowałem, stałem przed zarośniętym gościem, który trochę przypominał małpę. Świecił sobie latarką w twarz. Nie wiem, po co.

– Widzę ją na plaży, nad Jeziorem Ochrydzkim. Musisz tam polecieć – powiedział spawacz wysokościowy z kombinatu – żona ustawia przeciwko mnie synów dwóch naszych, czy wiesz, że ona mi się z gachem włamała do mieszkania? Wiesz, ja tu na Młodości mieszkam.

– Nie wiem, nie jestem z Huty.

– Wisła, Cracovia?

– Legiunia.

– Muszę już iść. Ale to chyba jednak nie ona.

– Co nie ona? Ej, mam papiery na ciebie. To znaczy, przepraszam, ale naprawdę cię potrzebuję.

– A jaki ona ma numer?

– Telefonu?

– Muszę iść.

– Jaki numer?

– Idę.

– A jak ja stąd wyjdę?

– Ten twój przewodnik czeka na końcu korytarza, za dużą czerpnią powietrza. Idź tam. Ochryd to piękne miejsce i marszałek Tito miał tam swoją rezydencję.

– Kurwa jebana no. Co za pojeby jakieś – gadałem do siebie w myślach.

Facet poszedł w przeciwnym kierunku, niż mi pokazał, a ja zostałem sam po środku wielkiej podziemnej sali. W świetle latarki widziałem jakieś urządzenia sterownicze i wiele par drzwi, które sprawiały wrażenie pancernych. Nagle jedne z nich mocno trzasnęły, zobaczyłem tylko jak zasuwa się skobel i zostałem sam w centrum zarządzania kryzysem jądrowym, czy czymś podobnym.

– Którego, kurwa, korytarza? – krzyknąłem, ale odpowiedź nie padła.

Rozglądałem się ciekawie. Komórka nie działała. Czuć było stęchlizną. Zachciało mi się rzygać i rzygałem.

– Gabryś?

Cisza.

– Gabryś?

Cisza.

Godzinę zajęło mi kluczenie po korytarzach, aż znalazłem się pod jakąś czerpnią powietrza. Wreszcie światło.

– Gabryś? – zawołałem w górę.

– Jesteś wreszcie. Facet nas wykołował. On jest pedałem i szantażuje go instytut.

– Co go szantażuje?

– Instytut Nowego Człowieka!

– Jak ja stąd wyjdę?

– Nie wiem. Tu jest gruba krata, musiałbym wyważyć.

– To wyważ.

– Ok.

Gabryś wyłamał kratę, a ja podleciałem do otworu i wylazłem na dwór.

– Na pole – poprawił mnie.

– Kurwa, ale to wielkie.

– To było centrum zarządzania dla całego miasta.

– No dobra – oddychałem ciężko opierając się o trzepak – do rzeczy.

– Znam tu każde miejsce, ale o tym, o czym mi powiedział, nie słyszałem.

– Znaczy gadałeś z nim?

– No, nie uwierzysz, ale przewidziałem, którędy będzie spierdalał. Leży tam jeszcze.

– I co?

– Człowieku no pedał na kombinacie? Oni go mieli w szachu, co prawda on nie wiedział, że ty będziesz, ale że ja to już tak. Pojebany ten świat, ale zadupcyłem mu po prostu i powiedział, że Instytut założyli dwa miesiące po wybuchu...

– Jaki? Gdzie? Jeszcze raz.

– Spokojnie, napijemy się czegoś.

– Nie, ja spierdalam. Jadę na urlop.

– Ale Instytut.

– Nie, nie, Polecę sobie gdzieś odpocząć, do Macedonii, jakaś egzotyka niedaleko.

– Po co?

– Tak, turystycznie.

– Ale tu się zaczyna przygoda.

– Szkoda energii.

– Ej. Czemu? Kto ci to załatwił? Nie spierdalaj teraz, kiedy jesteśmy tak blisko.

– Odpocznę sobie.

– Nie zostawiaj mnie samego. Nie rozumiem.

– Ja też siebie nie rozumiem. Proszę cię.

– Ja cię proszę. Sam tam nie pójdę.

– Gdzie, kurwa?

– No, do Instytutu.

Poszedłem sobie w stronę placu Centralnego. Czułem się jak cham trochę i w sumie nie wiedziałem, co robić. Jak zwykle.

Rozdział 20 – Bałkański kocioł

W Macedonii wylądowałem na lotnisku ochrydzkim. Musiałem szybko spieprzać z pasu startowego, bo nadlatywał jakiś tupolew. Kalesony, kurtka puchowa nie pomogły. Już wiedziałem, że czeka mnie ból zatok. Przeleciałem nad ogrodzeniem, nim nawet jakieś służby zdążyły pojawić w okolicy. Miałem rezerwację w hotelu Belvedere po drugiej stronie miasta i jednocześnie jeziora, którego część znajdowała się na terenie Albanii. Za późno było na zwiedzanie, więc podleciałem pod hotel, zameldowałem się w pokoju z widokiem na jezioro, łyknąłem coś tam i zasnąłem zmęczony długim lotem.

Sto metrów od plaży. Rozłożyłem się na leżaku i jak nie lubię się opalać, tak wystawiłem się na słońce. Najlepsze laski widziałem na plaży w Macedonii. A byłem na paru plażach. Pod Amsterdamem na plaży całą noc patrzyłem na czerwone światełko platformy wiertniczej. Oglądałem je sobie i z lewej, i z prawej. Moja bladość nie była dla nich chyba szczególnie atrakcyjna, bo wszystkie omijały mnie wzrokiem.

Mój pierwszy trup na plaży wypłynął w Sopocie. Był cały siny... Wspomnienia przerwał telefon z Polski.

– Tak, proszę?

– Paulina – wymieniła swoje imię zmęczonym głosem.

– No cześć.

– Czemu uciekłeś? Przede mną?

– Oj nie, odpoczywam po prostu.

– Szukasz jej tam. Jakiś psychol nagadał ci czegoś, a ty jej tam szukasz.

– Opalam się. Wieczorem idę na festiwal muzyki bałkańskiej, będzie jakiś zespół z Zamościa, a pojutrze w rzymskim normalnie teatrze zagra tu Morricone. Pięknie tu jest.

– Co z nami?

– Przecież masz chłopaka. Jezu, nie mogę rozbijać związku.

– Już nie mam. Chcę być z tobą.

– Wiesz, że płacisz za roaming.

– Wróć.

Wieczorem po kąpieli wsiadłem w taksówkę i pojechałem do górnego miasta. Dwie godziny musiałem czekać na grupę z Polski i okazało się, że występują w niej sami faceci. Zszedłem do portu, wypiłem dwa piwa i podskoczyłem do hotelu. Mogłem w zasadzie ruszać gdzieś dalej. Następnego dnia odwiedziłem Klasztor Świętego Nauma, który podobno uczył się od Cyryla i Metodego, a po obiedzie przeskoczyłem granicę z Albanią. Wcale nie szukałem Julii.

Nim dotarłem do Tirany i mocno się nią rozczarowałem, latałem nad Albanią i liczyłem rozsiane bunkry. Zgłodniałem i wylądowałem w jakiejś wiosce, plecy mnie bolały od latania z ciężkim plecakiem, nie czułem się za dobrze, ale żeby dolecieć do Tirany nie mogłem pozwolić sobie na xanax ani nic w tym stylu. Zamówiłem burka ze szpinakiem, piwo o nazwie stolicy Albanii, dobre całkiem, zapłaciłem panu z pięć euro i ruszyłem dalej pieszo. Bunkry z bliska były zupełnie takie same, tylko jedne mniejsze, a drugie większe. W końcu, znudzony, poderwałem się i z mapą w dłoni podleciałem tak na sto metrów, żeby zorientować się w okolicy. Tirana zdawała się być już zupełnie niedaleko, więc niespiesznie skierowałem się w tamtą stronę.

Szukałem jakiejś wycieczki, żeby się podłączyć, ciągle obskakiwali mnie chłopcy, którzy wciskali mi czerwone długopisy z czarnym orłem. Kupiłem chyba z pięć takich. Nie szukałem Julii. Po niedługim tropieniu natrafiłem wreszcie na tę dziwną piramidę, która podobno była kiedyś mauzoleum Envera Hodży, choć z mojej teczki, przy okazji przypadku 86/53 wynikało coś zupełnie innego. Cała piramida była jednym wielkim przekaźnikiem czegoś tam, nie chciało mi się sięgać do plecaka po papiery.

Najpierw wlazłem na piramidę i zjechałem z niej na tyłku, a potem wlazłem w jej ciemność. W środku trwał remont po likwidacji dyskoteki, ale robotnicy poszli akurat na piwo, bo to była pora tych całych muzułmańskich modłów.

Jakoś środek nie wskazywał na przeszłość tego budynku, powoli powstawały tu witryny sklepowe centrum handlowego. Gdybym miał jakąś mapę, to pewnie próbowałbym dotrzeć gdzieś w dolne partie, gdzie pod grobowcem Hodży ukryte były chyba rzeczy, które kompletnie zmieniłyby spojrzenie na ten kraj. W dokumentach, które posiadałem, Albania wcale nie była odizolowana od reszty świata, tylko stanowiła jeden wielki poligon ZSRR. Tak przynajmniej ktoś podopisywał przy nocie o przypadku 86/53.

Nagłe uderzenie, jakby kopnięcie w głowę zwaliło mnie na ziemię, ale już kop w żebra poderwał mnie do góry. Latarka toczyła się po ziemi, a jakieś ręce próbowały łapać mnie za nogi. Lot w stronę szczytu piramidy mógł oznaczać całkowite utknięcie, ale im bliżej, tym jaśniej i w plątaninie rur, o które zaczepiłem, dwa metry wyżej zobaczyłem otwór w stropie. Plecak mnie blokował. Nie mogłem go zrzucić, bo w środku były dokumenty. Po stropie piramidy już wbiegały jakieś nogi. Wiszę kilkanaście metrów nad ziemią. Nade mną jest wybita dziura. Zaraz światło przysłonią jakieś albańskie łby. Drugie wyjście jest na dole, gdzie nie mam szans trafić w tym stanie. Ogłuszający strzał trafia w rurę obok. Następny z drugiej strony. Strzelają po omacku. Po co mi to było? Nade mną wyłaniają się karabiny. Rura pękła od strzału i udało mi się uwolnić. Podleciałem pod strop, a z rury zaczęła się lać woda. Czołgałem się po suficie jak pająk, byłem coraz bliżej otworu w stropie. Jeśli jestem dostatecznie przerażony, po prostu katapultuje mnie na jakieś sto metrów i nie zdążą nawet ruszyć ręką.

– Kotek?

– Co?

– Śniło ci się coś złego?

Chwilę zastanawiałem się, z kim śpię, ale to była Paulina w moim hotelowym łóżku.

– Taki byłeś wczoraj dziwny. Gadałeś coś o ratowaniu świata.

– Nie, to niemożliwe.

– Chwiałeś się jakbyś się naćpał, pakowałeś się gdzieś, aż padłeś na łóżko. Mówiłeś, że masz dar, który musi służyć ludzkości. Chciałeś obalać jakąś dyktaturę.

– Nie, miałem jakieś turystyczne sny. W ogóle uratowała mnie jakaś... nie wiem, zbawicielka

No jak bierze się za dużo różnych prochów – pomyślałem – to się traci czasem pamięć, a niekiedy świadomość.

– Muszę poleżeć jeszcze, bo mi szumi w głowie, ale potem idę z kolegą coś załatwić.

– Dobrze, a zjemy wcześniej śniadanie w barze mlecznym?

– Tak, myszko. Ale ty jesteś piękna.

– Ale zrywasz z Ewą?

– No ja z nią nie jestem. Do niej Miron startuje.

– Ale mi powiedziała co innego.

– Zrywam. Obiecuję.

– Bo na razie to ją zdradzasz. Źle się czuję z tym.

– Chodźmy do tego baru.

– Ale chcesz być ze mną?

– Tylko z tobą.

– To po co szukasz tej Julii jakiejś?

– Ja tylko coś sprawdzę, już nie będę.

– I naprawdę potrafisz latać?

– Tak. Jak mnie będziesz wkurzać mocno, to zobaczysz.

– Głupek.

Wstała zupełnie naga i poszła do łazienki. Dopadłem ją tam i prawie urwaliśmy umywalkę.

Rozdział 21 – Instytut Nowego Człowieka

– Więc wróciłeś?

– Byłem na nocnych wakacjach.

– Jedziemy?

– Tak.

– Co ty, RMF MAXXX słuchasz?

– A co to jest?

– Masz smycz na szyi.

– A.

– Radio dla pedałów takie.

– Pierwsze słyszę.

– Daj to. Przyda się.

Dałem mu smyczkę, choć nie wiem po co. Poszliśmy do tramwaju numer 15 i ruszyliśmy w stronę pętli. Przez całą drogę nikt nic nie mówił. Potem przedzieraliśmy się przez jakieś zarośla, hałdy i bagna, aż nagle przed nami wyłonił się dziwny budynek, spod którego wypływał kanał o szerokości porządnej rzeki. Normalnie spod budynku, no.

– Tu?

– Tu.

– Drzwi tam są.

– No, chodź.

Nad drzwiami nie było nic napisane, szarpnąłem za nie i wleźliśmy do jakiejś portierni.

Baba, która siedziała za kontuarem wyraźnie czekała na nasz ruch.

– Dzień dobry – powiedziałem.

– Dokąd?

– No do Instytutu.

– Na którą?

– Nie, chcemy teraz się dostać.

– Jak teraz, co pan myśli, że ja nieumówionych przyjmuję? Do kogo w ogóle aktualnie?

– Ale ja jestem przypadek 86.

Spojrzała na mnie jakby inaczej.

– Czyli nie do Instytutu Gospodarowania Odpadami?

– Nie, nie.

– Jakby to nie było to samo – powiedziała do siebie i wyciągnęła jakiś zakurzony notes.

– Chce pan się widzieć z profesorem?

– No tak.

– Dobrze, nazwisko, numer, dokument.

Podałem jej dane.

– Drugi pan też?

– Nie, nie. Kolega.

– To niech poczeka tu.

– A ja?

– Też.

Wzięła kajet i zza kontuaru poczłapała do najbliższych drzwi. Tam przyłożyła kartę i drzwi się same otworzyły. Takie szare, odrapane drzwi. Kiedy wróciła, powiedziała, że mam się zgłosić za siedem miesięcy, chyba że to pilna sprawa.

– Bardzo pilna.

– Zapraszam. Drugi pan czeka.

– Mhm – Gabryś machnął głową.

Zatrzasnęła za mną drzwi. Przede mną siedział suchy facet koło sześćdziesięciu lat. Pił kawę, którą zachlapał sobie biały fartuch. Cały pokój wyglądał jak zakurzony gabinet lekarski.

– Siadaj – wskazał mi krzesło – całe laboratoria mieszczą się pod wodą, wiesz wpuszczane są do niej takie związki, które izolują całkowicie nasze eksperymenty. To jeszcze wszystko schyłek komuny, wiesz sam. Więc synu. My mamy bratnie jednostki w wielu miastach. W Tbilisi, w Odessie, no w Samarkandzie zamknięto w zasadzie i pozostała tylko izba pamięci. Na Białorusi, w Rosji, nawet jedna na terenie naszej ambasady w Szwecji była, ale już tam się nikt tym nie zajmuje. Ja znam twój przypadek dobrze. Wiedz, że podstawowym zadaniem każdej z jednostek było sparowanie Nowych Ludzi obu płci, tak by spłodzili potomstwo. A potomstwo może być, no nie chciałbym użyć za dużego słowa, rozumiesz. Dotychczas najbliżej była Odessa. W Tbilisi były dwa poronienia, a tak nie udało się nawet zetknąć ze sobą dwóch przypadków.

– No, a pobranie spermy?

– No wiesz, mamy twoją spermę, ale nie chodzi o to. Mamy spermę każdego. Ale nie chciałbyś sprowadzić wszystkiego do nieczułej maszynerii? A ciepło rodzinne, a miłość, a wychowanie dziecka w poszanowaniu chrześcijańskiej tradycji?

– No znaczy, skąd przepraszam ma pan moją spermę?

– No kiedyś spuściłeś się w dziewczynie, która dostała za to parę ministerialnych groszy.

– W czym sie spuściłem? W ministerstwie?

– Słuchaj, pójdziemy na układ.

– To ja powiem, czy pójdziemy, ok, dziadek? Przestaje mi się tu podobać.

– Jasne, chłopaku. Ty miałeś być obiektem docelowym, a twój kolega Miron się nawinął zupełnie niepotrzebnie. W ogóle zależało nam zawsze na integracji środowiska Nowych Ludzi, ale to takie jeszcze myślenie z poprzedniej epoki. A wy jesteście straconym pokoleniem, bo mutacje atakowały dzieci głównie i co słabszych nastolatków. Nie ma wśród was, znam głównie polskie przypadki, nie ma wśród was ludzi zdrowych emocjonalnie. To takie charakterystyczne dla ludzi wychowanych u schyłku PRL. Ten spawacz cały, na przykład, był biednym zahukanym chłopaczkiem i go jedna zdzira wykorzystywała starsza. Od tego czasu ma jakiś uraz do kobiet, ożenił się z nią, ale nie współżyją nawet. Facet to mitoman, na bank pieprzył ci coś o Bałkanach.

– Do rzeczy.

– Dobra. Spłodzisz dziecko z Ewą, ja dam Ci, czego ty chcesz.

– A czego chcę?

– Chcesz wiedzieć. Zgubiłeś się już. Pieniędzy chcesz? Ja chce mieć dziecko. Nie po to traciłem tu tyle lat.

– Co, przepraszam, zrobię z Ewą?

– Pani Ewa urodzi twoje dziecko.

– Nie, ja kocham Paulinę i zawsze ją kochałem. Żadne dziecko, kurwa z tą idiotką. Założymy się?

– O Jezu, chłopcze. Kto to jest Paulina? Przecież jesteś z panią Ewą w związku trwałym, stałym w sensie.

– Nie, kurwa, ruchać mi się chciało, a ona się uczepiła mnie. Mam jej dosyć.

– No właśnie, chłopcze, i od ruchania właśnie się biorą dzieci, no – poklepał mnie po ramieniu.

– Co? Co pan mówi?

– Pani Ewa nie jest idiotką. Leczysz swoje chore emocje od tylu lat i naprawdę nie tobie oceniać jest innych. Gdyby chociaż Bóg był tu w okolicy, toby cię ocenił, a tak nie ma komu. Nie ma Boga. Jesteście wy i wasze cudowne dziecko.

Nagle drzwi się otworzyły i stanął w nich Gabryś. W ręku trzymał kartę i kluczyk na smyczy RMF MAXXX.

– Ha, więc jednak nie takie pedalskie to radio. Nie mogłem się, sorry, powstrzymać. I co to, kurwa, jest? ZUS kurwa jakiś?

Profesor wcisnął jakiś guzik i zaraz do pokoju wleciała banda strażników zakładowych. Gabryś zdążył schować smycz w spodnie i wynieśli nas na dwór i zostawili w krzakach. Gabryś dostał kopa w głowę.

– Skurwysyny. Wrócimy tu w nocy.

– Gabryś, dziękuję ci. Bardzo mi pomogłeś.

Podkuliłem nogi pod brodę i zacząłem płakać, trochę unosiłem się nad ziemią, ale bardziej mi było przykro, niż byłem zły.

Rozdział 22 – Zakłady

Przypadek 86/79

Julian Seratowicz. Na skutek wybuchu doznał początkowo zaburzeń logopedycznych, jak również problemów z pamięcią. Przypadek pełen nieuświadomionych sprzeczności, mający tendencje eskapistyczne. Introwertyczny. W czasie eksplozji przebywał na wycieczce szkolnej w budynku studni miejskiej, stojącym w korycie rzeki Wisły, która pompuje wodę z systemu poddennych drenów do Wodociągu Praskiego mieszczącego się na Saskiej Kępie. Prawdopodobnie specyficzny układ drenów ściągnął na to miejsce dużą dawkę mutagennych promieni, lub też znajdowało się tam jakieś stanowisko odbiorników radarów pozahoryzontalnych, ale tego nie udało się ustalić. Wpuszczają tam tylko wycieczki szkolne.

Przypadek 86/79 w momentach napięcia unosi się nad ziemią. Kiedy lekko się zdenerwuje, potrafi przelecieć jakieś dziesięć metrów. Bez problemu przefruwa nad kioskiem Ruchu albo nawet nad autobusem. Kiedy stan napięcia utrzymuje się dłużej, ląduje naprawdę daleko.

Rzuciłem teczkę na stolik i wyglądałem sobie na zachodzące słońce. Akurat rzucało się między bloki Nowej Huty. Takie samo to było, jak we mnie i na chwilę przeniosłem się w czasie i przestrzeni. No ma się tak czasem, że odpowiednie skrzyżowanie kilku wymiarów, wrażeń i uczuć sprawia, że jesteś wtedy tam, tu i teraz. Potem już normalnie liczyłem zachodzenie słońca, a w uszach leciał mi Zaucha i śpiewał, że stwardnieje mi łza.

Paulina z Mironem poszli do „Warsu". Ewa udawała przed nim, że nie jest ze mną, a ja przed nią, że nie kocham Pauliny. Miron myślał, że wszystko jest na dobrej drodze. A jak wyszli, to Ewa pocałowała mnie w ucho. Odgoniłem ją.

– Wiesz, Ewa, przejrzałem teraz całą teczkę „*86*". Julii w niej nie ma. Nie ma jej nigdzie.

– Kotek, powiedz mi, że dopiero teraz to zrobiłeś.

– Nie.

– Powiedz to.

– Nie.

– Powiedz.

– Powiedz ty.

– Co?

– No powiedz to, kurwa. Wiesz, o czym mówię.

– Jestem w trzecim miesiącu. Dziecko nas uratuje, kotek.

Spojrzałem znów w okno i pomyślałem sobie, że jestem małą dziewczynką o imieniu Julia. Moi rodzice są naprawdę super. Tata potrafi latać, a mama przenosi się w czasie i oboje ratują świat. Kiedyś usłyszałam taką rozmowę, że jak będę miała osiemnaście lat, to się rozwiodą wreszcie. To mówił tata, a mama, która płacze i krzyczy, że go kocha nad życie, robi mu awantury, że ją zdradza. Tata znika wtedy na kilka dni, ale on ratuje świat. Mama płacze wtedy i dzwoni do przyjaciółki, że tata ma nową kochankę, bo ta ździra Paulina już dawno mu się znudziła. Ja siedzę sama w pokoju i bawię się klockami albo jestem w przedszkolu, gdzie jest fajniej niż w moim domu. I przypominam sobie, że na świecie po prostu nie ma Boga. Tak mówi mój dziadek z Nowej Huty. No, a jak Boga nie ma to, po co oni to wszystko robią? Po co moja matka maluje się codziennie rano? Po co mój ojciec czyta gazety? Po co ja tu jestem? Czasem jak zasypiam i nikt nie przychodzi mnie przytulić, myślę sobie, że chciałabym umieć zniknąć i już więcej nie być.

Wstałem, zwinąłem dłoń w pięść i uderzyłem Ewę w lewy policzek. Widziałem tylko strużkę krwi i łzy, wyszedłem, lazłem przez trzy wagony aż do „Warsu", gdzie tyłem do mnie stała Paulina i opowiadała Mironowi, że wreszcie jesteśmy razem, a on się cieszył, że do siebie wróciliśmy. Pociekły mi prawdziwe łzy i poczułem, że coś już się nie zdarzyło. Cofnąłem się do poprzedniego wagonu.

Zerwałem plombę z awaryjnego otwierania drzwi i wyskoczyłem z pędzącego pociągu.

Chwilę wcześniej jakiś podpity gość dał mi całą swoją kasę, upierając się, że nie wyskoczę. Było tego sześćset trzydzieści złotych. Od tego momentu na zakładach zarabiałem całkiem porządne pieniądze. Chwilę po trzydziestce, ale naprawdę się dorobiłem.

KONIEC

Juliusz Strachota (ur. 1979) jest autorem zbiorów opowiadań *Oprócz marzeń warto mieć papierosy* (Świat Książki, 2006) oraz *Cień pod blokiem Mirona Białoszewskiego* (Korporacja Ha!art, 2009). *Zakłady Nowego Człowieka* to jego pierwsza powieść.